LES JUMELLES

Enid Blyton ™

font leur numéro

L'édition originale de cet ouvrage a paru en langue anglaise sous le titre :
The Second Form at St Clare's.

La signature d'Enid Blyton est une marque déposée
qui appartient à Enid Blyton Ltd.
Tous droits réservés.

Ce livre a déjà paru en 1965 sous le titre : *Hourra pour les Jumelles !*

LES JUMELLES

Enid Blyton™

font leur numéro

Illustrations
Lotty

hachette
JEUNESSE

Patricia et Isabelle O'Sullivan

« Pat » et « Isa » pour les intimes.
Les jumelles se ressemblent comme deux gouttes d'eau…
sauf de caractère ! Alors qu'Isa est calme et docile,
Pat se montre souvent hardie, parfois même effrontée.

Henriette Wentworth

Une « chic fille », de l'avis de toutes !
Naturelle et gaie, elle ne tarde pas
à devenir la meilleure amie des jumelles.

Margaret Baker

Sympathique et généreuse,
elle est aussi un peu tête en l'air.
Margaret n'hésite jamais à dire ce qui
lui passe par l'esprit, même si
cela ne plaît pas à tout le monde !

Sheila Naylor

A priori, cette fille-là n'a rien
pour plaire ! Hautaine et désagréable,
elle n'arrête pas de se vanter. Mais si
cette arrogance n'était qu'une façade ?

Mme Theobald

La directrice du pensionnat sait
encourager ses élèves et se montrer ferme
quand il le faut. À Saint-Clair,
tout le monde respecte Mme Theobald.

Miss Walker

Le professeur de dessin.
Les élèves aiment son esprit jeune,
gai et créatif. Pas de doute,
Miss Walker est une vraie artiste !

Mam'zelle

Parfois gaie, parfois intransigeante,
le professeur de français est une figure
incontournable de Saint-Clair.
En référence à son adjectif préféré, les élèves
l'ont rebaptisée « Mam'zelle Abominable » !

chapitre 1

La rentrée

La dernière semaine des grandes vacances est passée comme un éclair. Les jumelles, Isabelle et Patricia O'Sullivan, retournent au collège Saint-Clair où elles ont passé l'année scolaire précédente… et elles ont tant à faire ! Elles essayent des robes, des chaussures, achètent des livres et des cahiers, examinent leurs raquettes de tennis et cherchent des objets qui semblent avoir complètement disparu.

— Mes chaussons ! gémit Isabelle. Où sont passés mes chaussons ?

— Je n'arriverai jamais à terminer ma valise, maugrée Patricia. Quand je pense que nous allons être en deuxième division ce trimestre ! Quelle joie !

— Qui aurez-vous comme professeur ? interroge Mme O'Sullivan en l'aidant à plier le linge et les robes.

— Miss Jenks, répond Pat. Au fond, je regrette un peu de quitter Miss Roberts et la première division. Nous nous sommes tant amusées l'année dernière !

— Je parie que nous nous amuserons aussi dans la classe de Miss Jenks, tempère Isabelle. Elle n'a pas l'air aussi sévère que Miss Roberts.

— Ne te fais pas d'illusions ! riposte sa sœur qui cherche à caser une boîte de bonbons dans un coin de la valise. Elle n'a peut-être pas les remarques mordantes de Miss Roberts, mais elle est à cheval sur la discipline. Tu te rappelles le jour où Tessa a eu sa fameuse crise d'éternuements ?

— Elle l'a envoyée à l'infirmerie et Mme Rey lui a administré une cuillerée d'un sirop très amer. Mais je serais bien étonnée que nous n'arrivions pas à rire de temps en temps.

— J'espère surtout que vous travaillerez, intervient Mme O'Sullivan. Vos dernières notes étaient très bonnes. Vous devrez briller autant en deuxième division.

— Promis, maman, répond Pat. Les professeurs de Saint-Clair sont très exigeants.

Mam'zelle en particulier. Elle veut que nous parlions couramment français.

— Vous avez d'ailleurs fait de grands progrès, dit Mme O'Sullivan en riant. Voyons, Pat, aide-moi à fermer ta valise. Assieds-toi dessus.

Le bagage refuse de se fermer. Mme O'Sullivan l'ouvre de nouveau et en ausculte le contenu.

— Il y a trop de livres. Tu ne peux pas les emporter tous, déclare-t-elle d'une voix ferme.

— Maman, il le faut ! réplique Pat. J'en ai besoin pour les jours de mauvais temps.

— Voyons, sois raisonnable… Enlève au moins trois livres.

Pat obéit, mais profitant d'un moment d'inattention de sa mère, elle les glisse au milieu des affaires de sa sœur. La valise se ferme à présent plus facilement. Mme O'Sullivan passe à celle d'Isabelle.

— Elle est trop pleine aussi, fait-elle remarquer en soulevant le couvercle. Tiens ! Ces livres, il me semble déjà les avoir vus !

Les jumelles s'esclaffent. Elles s'asseyent toutes les deux sur le bagage, qui se ferme de justesse.

— Il ne vous reste plus qu'à mettre vos affaires de toilette dans votre sac à dos, dit Mme O'Sullivan en consultant la liste du collège pour s'assurer qu'elle n'avait rien oublié.

Les chemises de nuit, les brosses à dents, les gants de toilette et les serviettes prennent place dans le baluchon. Les jumelles sont prêtes. Elles enfilent un manteau gris, puis s'examinent mutuellement.

— Deux élèves modèles de Saint-Clair, déclare Pat en affectant un air sérieux.

— Modèles, c'est beaucoup dire ! proteste sa mère avec un sourire. La voiture est à la porte. Avez-vous tout ce qu'il vous faut ? S'il vous manque quelque chose, je vous l'enverrai par la poste.

— Exact ! réplique Pat. C'est si agréable de recevoir des paquets ! Et surtout, quel bonheur de retourner à Saint-Clair ! Tu as eu une bonne idée de nous y inscrire, maman.

— Vous n'étiez pas de cet avis l'année dernière, à la rentrée d'octobre, dit Mme O'Sullivan, se rappelant les protestations et les larmes de ses filles. À cette époque, vous préfériez un autre établissement, beaucoup plus coûteux.

— Oui, nous avions même décidé d'être insupportables, dans l'espoir d'être renvoyées, admet Pat. Mais c'était impossible. À Saint-Clair, nous sommes obligées de nous conduire convenablement.

— Venez vite ou nous manquerons le train !
s'écrie Isabelle. Comme je serai contente de
revoir nos camarades de l'an dernier ! Toi
aussi, n'est-ce pas, Pat ? Le voyage est toujours
très agréable.

Elles s'en vont enfin. Il faut traverser
Londres pour se rendre à la gare d'où part le
train réservé aux élèves de Saint-Clair.

Une grande animation règne sur le quai,
où des dizaines de jeunes filles attendent
le départ. Leurs parents les ont accompa-
gnées et les professeurs s'efforcent de réunir
leurs troupes. Les pères présents placent les
bagages dans le fourgon. La rentrée commence joyeusement.

— Bobbie ! Voilà Bobbie ! lance Pat dès
qu'elles sont sur le quai. Margaret aussi. Bobbie ! Margaret !

— Bonjour, les jumelles !

— Ravie de revoir ton nez en trompette ! dit
Pat en glissant son bras sous celui de Bobbie.
Salut, Margaret.

— Salut, répond Margaret. Ton cousin t'a
donné de nouvelles attrapes ?

Un professeur qui passe entend la
question.

— Vous parlez d'attrapes, Margaret ?
demande-t-elle. Cette année, vous êtes dans

13

ma division et vous serez sévèrement punies à la moindre incartade, ne l'oubliez pas !

— Non, Miss Jenks, réplique Margaret. Je ne l'oublierai pas. Toutes les autres sont là ?

— Sauf Doris, répond Miss Jenks. Ah ! La voilà ! Montez dans le train, c'est l'heure.

— Carlotta ! Viens avec nous ! crie Bobbie à la petite brune qui arrive en courant. Tu as passé de bonnes vacances ? Tu es retournée au cirque ?

Carlotta jouit de l'admiration générale, car elle a été autrefois voltigeuse dans un cirque et monte très bien à cheval. Puis son père l'a envoyée à Saint-Clair où elle apprend de nouvelles choses. Au début, ce genre de vie lui a paru intolérable, maintenant elle a de nombreuses amies et les professeurs l'ont prise en affection. Elle rejoint les jumelles et Bobbie, le visage rayonnant de joie.

— Hello, dit-elle. Je vais monter avec vous. Qu'a donc votre cousine Alice ? Pourquoi fait-elle une tête d'enterrement ?

— Je suis si malheureuse ! gémit Alice O'Sullivan qui semble accablée de chagrin. Sadie va tant me manquer ce trimestre !

Sadie était une jeune Américaine qui ne pensait qu'à la mode et au cinéma. Elle a eu une très mauvaise influence sur Alice, et ne revient pas à Saint-Clair cette année. Alice, qui a une cervelle d'oiseau, se mettra peut-être au travail… C'est une fille ravissante qui a la larme facile. Ses cousines lui sautent au cou.

— Bonjour, Alice. Ne pense plus à Sadie ! Tu auras bientôt d'autres amies.

Elles montent dans leur compartiment. Doris arrive tout essoufflée. Henriette Wentworth, qui l'année précédente était chef de classe de la première division, s'installe dans un coin. Elle se demande si elle assumera encore, en deuxième, cette charge. Sérieuse et consciente de ses responsabilités, elle aime commander les autres.

— Bonjour, tout le monde, dit-elle. Je suis contente de vous revoir. Eh bien, Carlotta, tu es montée à cheval ? Tu en as de la chance !

— Tu sais bien que je n'appartiens plus au cirque, riposte Carlotta. J'ai passé mes vacances avec mon père et ma grand-mère. Mon père m'aime beaucoup, mais ma grand-mère trouve à redire à tout ce que je fais. Elle prétend que mes manières laissent encore à désirer et que j'ai de grands progrès à faire. Il faudra que vous m'aidiez.

— Oh ! non, proteste Pat. Nous ne voulons pas que tu changes, Carlotta ! Tu es spontanée, naturelle et sincère ! Avec toi on s'amuse toujours. Reste comme tu es. Toi aussi, Bobbie ! Tu joueras des tours aux professeurs, n'est-ce pas ?

— Bien sûr. Mais j'ai l'intention de travailler aussi.

— Miss Jenks y veillera, assure Henriette. Nous ne sommes plus dans la classe des petites. Nous aurons des examens à passer.

— Nous partons ! s'écrie Pat, penchée à la fenêtre. Au revoir, maman ! Nous t'écrirons dimanche !

Le train sort lentement de la gare. Les élèves commencent à décrire bruyamment leurs vacances et leurs voyages. Elles font aussi cent projets pour le trimestre.

— Pas de nouvelles ? demande Isabelle. Je n'en ai pas vu.

— Je crois qu'il n'y en a qu'une seule, répond Bobbie. Il y en avait une un peu à l'écart sur le quai. Je ne sais pas dans quelle division elle sera. Pas dans la nôtre, j'espère. Sa tête ne me revient pas !

— Alice est déjà en train de se recoiffer, fait remarquer Pat. Alice, mets ton peigne dans ton sac ! Je propose un nouveau règlement : « Alice n'aura pas la permission de s'occuper de sa coiffure plus de cinquante fois par jour. »

C'est un éclat de rire général. Quelle joie de se retrouver ! Le trimestre s'annonce merveilleusement bien.

COLLÈGE
SAINT-CLAIR
PENSION DE JEUNES FILLES

La deuxième division

Les jumelles se sentent d'abord un peu dépaysées en deuxième division, mais elles prennent vite le sentiment de leur importance. Elles regardent du haut de leur grandeur « les petites », ce menu fretin du collège. Juste retour des choses d'ici bas, elles sont elles-mêmes dédaignées par « les grandes » de troisième.

— J'ai toujours envie de retourner dans la classe de Miss Roberts, déclare Pat. J'ai ouvert sa porte plusieurs fois sans y faire attention.

— Moi aussi, approuve Margaret. Miss Roberts commence à croire que nous le faisons exprès. Si nous continuons, elle nous signalera à la directrice.

— Il y a beaucoup de nouvelles en première division, reprend Pat. Au moins douze. Miss Roberts les a, sans doute, fait monter tout de suite dans le train. C'est pour cela que nous ne les avions pas vues.

— Je ne connaîtrai jamais leur nom, fait remarquer Isa. D'ailleurs ce ne sont que des bébés. Quelques-unes n'ont pas encore quatorze ans.

— Toutes les élèves de première division sont montées de classe, ajoute Bobbie. Excepté Ada qui est trop jeune. Je parie qu'elle sera chef de classe.

Entrée à Saint-Clair à Pâques, Ada Borman s'est tout de suite distinguée par son travail. Ainsi que Bobbie l'a prédit, elle est nommée chef de classe de la première division et se montre très fière de cet honneur.

Deux redoublantes seulement restent en deuxième division, Elsie Fanshave et Anna Johnson. Ni l'une ni l'autre n'a très bonne réputation. Elsie Fanshave passe pour rancunière et malveillante. Anna Johnson est paresseuse.

— Je suppose que l'une d'elles sera chef de classe, gémit Henriette avec une grimace. Je n'aime ni l'une ni l'autre. Et toi, Bobbie ?

— Elles se croient très supérieures à nous, affirme Bobbie. Simplement parce qu'elles redoublent.

— J'aurais honte à leur place ! s'écrie Carlotta. Je ne voudrais pas passer plus d'une année dans une classe. Mais Anna est si paresseuse qu'elle n'arrivera jamais en troisième, j'en suis sûre.

— Tu n'en sais rien, proteste Pat. Elles feront peut-être des étincelles cet hiver. Je pense que Miss Jenks les nommera toutes les deux chefs de classe.

— Nous avons Rabat-Joie dans notre division, chuchote Bobbie en regardant la nouvelle, mélancolique, debout près d'une fenêtre. Elle ne dit jamais un mot. Elle a l'air sur le point de fondre en larmes à tous moments !

« Rabat-Joie », comme ses compagnes l'ont surnommée, s'appelle en réalité Ellen Hillman. Les élèves s'efforcent de l'apprivoiser. C'est à celle qui essaiera de lui arracher un sourire. Les efforts sont vains. Elle est toujours seule, perdue dans ses pensées, et ne parle à personne.

— Laissons-la tranquille, conseille Pat. Elle regrette peut-être sa maison.

Les anciennes de Saint-Clair pensent à leurs familles sans nostalgie. L'ambiance est si gaie, si amicale, les études alternent avec les distractions et les élèves ne restent pas une minute sans rien faire. Ce début de trimestre est particulièrement chargé. Tout est nouveau pour celles qui montent de classe.

— Un professeur vient d'arriver, annonce Pat. Un professeur de diction ! Elle est là-bas. La belle brune !

Miss Quentin est, en effet, très brune et très jolie. Elle a des yeux vifs et une voix mélodieuse. Alice chante tout de suite ses louanges.

— Cela ne m'étonne pas de toi ! s'écrie Isa. Je suppose que tu vas te dépêcher de te coiffer comme elle. Tu trouves toujours quelqu'un à imiter, Alice. L'année dernière, tu copiais ton amie Sadie !

Alice rougit. Elle est susceptible et n'aime pas les taquineries. Elle s'éloigne en secouant la tête. Un éclat de rire salue son départ.

Les élèves de deuxième s'habituent rapidement à Miss Jenks, leur nouveau professeur. Les premiers jours, elles regrettent Miss Roberts, leur professeur de première, bien qu'elle soit peu prodigue d'éloges. Miss Jenks est aussi perspicace que Miss Roberts, mais elle s'agace plus facilement. Elle ne supporte pas l'impolitesse, ni ce qu'elle appelle « les fanfreluches ».

Malheur à qui se présente en classe avec une coiffure compliquée ou des bijoux !

— Alice sera souvent punie ! chuchote Pat un matin.

D'ailleurs, celle-ci vient d'être renvoyée dans sa chambre pour se recoiffer et enlever le collier qui pend à son cou.

— Carlotta aussi, réplique Bobbie. Si Miss Jenks déteste les fanfreluches, elle n'aime pas davantage la négligence. Tu as besoin d'un coup de peigne, Carlotta. Tes cheveux sont toujours en désordre, mais aujourd'hui tu ressembles à un épouvantail !

— Vraiment ? Le problème de maths que nous avions à résoudre était si difficile que j'ai été obligée de me prendre la tête à deux mains.

— « Mam'zelle », notre prof de français, n'a pas changé, fait remarquer Isabelle. Son caractère ne s'est pas amélioré, mais je l'aime bien tout de même. J'espère qu'elle sera aussi comique que l'année dernière. Tu te rappelles la scène avec Carlotta ?

Oui, on avait bien ri ce jour-là ! Les élèves se remémorent tous les tours qu'elles ont joués à leur professeur de français. Chère vieille Mam'zelle, elle tombe dans tous les pièges ! Ses colères sont terrifiantes, mais elle a le sens de l'humour et, quand ses yeux myopes étincellent derrière ses lunettes, on devine que l'orage est passé.

— Ah ! dit Mam'zelle en promenant un regard sur ses élèves, vous voilà en deuxième division. Vous allez bien travailler, n'est-ce pas ? En première, vous étiez encore des bébés, vous ne saviez rien. Maintenant vous comptez parmi les grandes. Votre français doit être parfait. Doris, même vous, vous devez rouler les *r* à la française.

Les rires fusent. La pauvre Doris, toujours la dernière, a un accent français déplorable. Elle ne réussit pas dans ses études, mais personne ne lui en veut, car elle a un vrai talent d'humoriste et s'emploie à faire rire ses compagnes.

— Rrrr ! s'écrie Carlotta à l'improviste.

Cela ressemble au vrombissement d'un avion qui prend son vol ! Mam'zelle fronce les sourcils.

— Vous êtes en deuxième division, Carlotta, dit-elle sévèrement. Ce genre de plaisanterie n'a pas sa place ici.

— Non, Mam'zelle. Bien sûr que non.

— Les attrapes et les tours doivent rester en première, déclare Mam'zelle. Nous espérons que vous vous conduirez avec dignité. Un jour, la monitrice principale sera peut-être choisie parmi vous et il n'est pas trop tôt pour vous préparer à cet honneur.

Gladys James, qui remplissait les fonctions de monitrice principale, est partie et Belinda Towers, la monitrice de sport, a pris sa place. Ce choix a eu l'approbation générale. Belinda est aimée par tout le monde à Saint-Clair. Elle connaît déjà les élèves, ce qui lui sera très utile dans sa nouvelle tâche. Elle est moins douce et moins paisible que Gladys, elle a son franc-parler, ce qui effraie certaines, mais elle remplira ses devoirs avec conscience.

Belinda se rend dans toutes les salles de loisirs et fait dans chacune un petit discours.

— Vous savez que je suis maintenant monitrice principale et que je reste monitrice de sport. Vous pouvez vous adresser à moi si vous avez des ennuis, je vous aiderai de mon mieux. Nous disputerons des championnats de tennis et de hockey. Saint-Clair doit être à l'honneur cet hiver. Je formerai de nouvelles équipes. Je vous demande à toutes de vous entraîner.

Sur ces mots, Belinda tourne les talons. Alice pousse un soupir.

— Je déteste le sport, marmonne-t-elle. Jouer au tennis me fatigue et me décoiffe.

— Tu resterais volontiers assise dans un coin toute la journée à te regarder dans la glace, s'écrie Pat. Ce n'est bon ni pour toi ni pour les autres. Le malheur, c'est que tu n'as pas l'esprit d'équipe !

— Laisse-moi tranquille ! riposte Alice. J'en ai assez de tes sermons !

Les premiers huit jours passent gaiement. Pat, Isabelle et leurs amies bavardent, rient, dévorent d'énormes goûters, assistent aux cours et ne cachent pas leur préférence pour les plus distrayants, ceux de dessin, de musique, de diction.

À la fin de la première semaine, elles ont une surprise. Une nouvelle fait son apparition. Elle arrive à l'heure du goûter, maussade et les yeux rouges, jette un regard de défi autour d'elle et prend la place qui lui est indiquée.

— Je vous présente Miranda Davidson, explique Miss Jenks. Elle a perdu le début du trimestre, mais mieux vaut venir maintenant que pas du tout, n'est-ce pas, Miranda ?

— Je ne voulais pas venir du tout, réplique Miranda d'une voix sonore. Le jour de la rentrée, j'ai refusé net de quitter la maison. J'ai fini par accepter, parce que mon père m'a promis que je pourrais partir au milieu du trimestre si je ne me plaisais pas à Saint-Clair. Il imagine que je m'habituerai. Il se trompe !

— En voilà assez, Miranda ! déclare Miss Jenks d'un ton apaisant. Vous êtes nerveuse et fatiguée. Dans quelques jours, vous vous trouverez très heureuse parmi nous.

— Non ! riposte Miranda. Je ne serai pas heureuse. Je ne travaillerai pas. C'est inutile puisque je partirai dans un mois et demi.

— Nous verrons, dit Miss Jenks. Pour le moment, soyez raisonnable et goûtez. Vous devez avoir faim.

Les autres regardent Miranda avec étonnement, à la fois scandalisées et amusées. Aucune d'elles n'aurait osé faire une telle scène !

— Je l'ai prise d'abord pour une deuxième Rabat-Joie. C'est simplement une fille trop gâtée qui a mauvais caractère, fait remarquer Pat. Je crois que notre trimestre sera mouvementé !

chapitre 3

Deux chefs de classe et deux nouvelles

Miss Jenks nomme chefs de classe Elsie et Anna, les deux redoublantes. Elle a eu une longue conversation à ce sujet avec Mme Theobald, la directrice, et toutes les deux ont été du même avis.

— Elsie est malveillante et rancunière, déclare Miss Jenks. Elle dit volontiers du mal de ses compagnes et, bien entendu, celles-ci ne l'aiment pas. Quant à Anna, c'est la paresse incarnée. Impossible de tirer quelque chose d'elle.

— Toutes les deux se trouveront bien d'avoir des responsabilités, réplique pensivement Mme Theobald. Elsie aura le sentiment de son importance et mettra en valeur ce qu'il y a de bon en elle. Anna sera obligée de travailler. Essayons.

— Je ne sais pas si elles s'entendront, Miss Jenks doute. Elles sont comme chien et chat.

— Essayons, répète Mme Theobald. Elsie est très vive, elle fera peut-être sortir Anna de son inertie et Anna n'a pas un brin de méchanceté. Il se peut qu'elles aient une heureuse influence l'une sur l'autre. Nous verrons.

Elsie se montre fière de cet honneur, mais elle aurait préféré ne partager son titre avec personne. Détestée et tenue à l'écart l'année précédente, elle se promet une revanche éclatante.

« Maintenant, c'est moi qui donnerai les ordres, pense-t-elle. Les petites sottes qui montent de classe seront obligées de s'y plier. Anna me laissera faire, elle est si molle. J'inventerai des règlements nouveaux. Celles qui ne m'obéiront pas, je les signalerai à la directrice. Je suis bien contente de ne pas être montée en troisième, puisque me voilà à la tête de la deuxième. »

Patricia, Isabelle, Henriette, Carlotta, Doris devinent les intentions d'Elsie. Elles la connaissent de réputation et s'attendent au pire.

— Nous regretterons Henriette, notre chef de classe de première, déclare Margaret. Elle s'efforçait de nous donner le bon exemple. Elle nous laissait rire et nous amuser, mais quand nous allions trop loin, elle savait mettre le holà !

— Je ne peux pas supporter Elsie ! s'écrie Carlotta. J'ai toujours envie de la gifler.

— Cette Carlotta ! Tu n'as pas perdu cette habitude ? demande Bobbie, feignant d'être scandalisée. Une élève de deuxième division ! Que dirait Elsie si elle t'entendait ?

Elsie réagit la dernière phrase.

— Si j'entendais quoi ? demande-t-elle en s'approchant.

— Rien. Carlotta disait simplement qu'elle avait envie de gifler quelqu'un, répond Bobbie.

— Veux-tu savoir qui j'aimerais gifler, ma chère Elsie ? renchérit Carlotta.

Elsie sent une menace dans la voix aiguë de la petite Espagnole et se hâte de s'éloigner.

— Tais-toi, Carlotta, ordonne Bobbie. Ne redeviens pas une petite sauvageonne !

C'est l'heure où toutes les élèves de deuxième se réunissent dans la salle de récréation, jouant, travaillant ou babillant. Elles se plaisent ensemble. L'une d'elles a allumé la radio. Doris et Bobbie dansent de manière grotesque. Ellen Hillman, assise dans un coin, a toujours son air malheureux et reste inactive. Isabelle la prend en pitié et s'approche d'elle.

— Viens danser, propose-t-elle gentiment.

Ellen secoue la tête.

— Qu'as-tu ? interroge Isabelle. Tu es triste d'avoir quitté ta maison ? Tu t'habitueras bientôt à Saint-Clair.

— Laisse-moi tranquille, répond Ellen avec brusquerie. Je ne te demande rien.

— Je ne supporte pas de te voir assise là, seule et triste, insiste Isa. C'est la première fois que tu es pensionnaire ?

— Oui, répond Ellen et ses yeux se remplissent de larmes.

Ce manque de courage agace Isabelle.

— Tu as toujours l'air de t'ennuyer, reprend-elle. Quels sont les cours ou les jeux qui t'intéressent ?

— J'aime jouer la comédie, réplique Ellen au grand étonnement d'Isabelle. J'aime aussi le hockey. Mais pas ici. Ici, je n'aime rien.

Elle refuse d'en dire davantage et Isabelle retourne auprès de sa sœur.

— Elle est désespérante, dit-elle. Une fille qui ne fait que s'apitoyer sur elle-même et pleurer ! Elle mourra de chagrin si nous n'arrivons pas à l'égayer. Miranda est très désagréable, mais je la préfère encore à Ellen.

Miranda exaspère et amuse à la fois ses compagnes. Elle est toujours hargneuse et ne cesse de répéter :

— Je partirai au milieu du trimestre !

— Nous commençons à le savoir ! s'écrie Pat. Et nous attendons avec impatience cet heureux jour. Mais je t'avertis, ne sois pas trop impolie avec Mam'zelle ou tu t'en repentiras. Je te conseille aussi de baisser pavillon devant notre chef de classe si tu ne veux pas avoir des ennuis.

— Quel collège odieux ! s'écrie Miranda furieuse. J'ai toujours pensé que ce serait affreux d'être en pension, mais mes pires craintes sont dépassées. Je déteste vivre avec un tas de filles stupides qui se prennent pour des stars, sous prétexte qu'elles ont passé un an ou deux dans leur cher Saint-Clair.

— Tu m'ennuies ! dit Pat en s'éloignant. Vraiment, entre toi, Rabat-Joie et Elsie, nous sommes bien mal loties ce trimestre !

Miss Jenks n'épargne pas non plus les reproches à Miranda.

— Si vous ne voulez rien faire, à votre aise ! dit-elle dès les premiers jours. Mais vous n'empêcherez pas les autres de travailler. Croisez les bras si vous préférez, mais taisez-vous ! Sinon vous irez dans le corridor jusqu'à la fin du cours !

D'abord Miranda juge très amusant de provoquer Miss Jenks et d'être renvoyée de classe. Mais c'est ennuyeux de rester sans rien faire dans le couloir... Et si Mme Theobald passe par là, elle aura des comptes à rendre. Malgré ses fanfaronnades, elle est intimidée par la directrice.

— Tu as fait une visite à Mme Theobald quand tu es arrivée, n'est-ce pas ? demande Pat. Lui as-tu dit que tu partirais après les vacances ?

— Bien sûr, répond Miranda avec un geste de la tête. Si tu crois que j'ai peur d'elle, tu te trompes !

Ce n'est pas exact. Miranda avait beaucoup à dire, mais Mme Theobald ne lui en a pas laissé le temps. Elle a regardé gravement Miranda et lui a ordonné de s'asseoir. Quand Miranda a ouvert la bouche pour parler, la directrice lui a imposé silence.

— J'ai un courrier à finir, a-t-elle déclaré. Nous discuterons après.

Sa lettre lui a demandé une dizaine de minutes. Pendant ce temps, Miranda a examiné à la dérobée le visage calme de la directrice et son assurance s'est évanouie. Elle a senti qu'elle ne pourrait débiter le petit discours qu'elle avait préparé. Enfin, Mme Theobald a levé la tête.

— Vous êtes une rebelle, Miranda, a-t-elle commencé. Votre père a voulu que vous soyez pensionnaire, parce que vous êtes trop gâtée. Vous êtes insupportable chez vous. Vous tyrannisez votre frère et votre sœur qui sont plus jeunes que vous. Il a choisi Saint-Clair, parce qu'il a pensé que nous pourrions vous aider à vous corriger de vos défauts. Non... ne m'interrompez pas... je devine ce qui se passe dans votre esprit. Vous, vous ignorez ce que j'ai à vous dire.

Il y a eu un silence. Miranda n'osait pas prononcer un mot.

— Nous avons déjà eu des élèves difficiles, a repris Mme Theobald. Nous nous vantons de les avoir transformées. Voyez-vous, Miranda, les enfants difficiles, souvent, ont de grands dons cachés sous des dehors déplaisants, des dons que, peut-être, d'autres enfants ne possèdent pas...

— Lesquels ? questionna Miranda, intéressée malgré elle.

— Parfois ce sont des dispositions pour la peinture, la musique, la diction. Ou bien des qualités qui sortent de l'ordinaire, le courage par exemple. Je ne sais pas si c'est le cas pour vous ou si vous êtes simplement capricieuse et indisciplinée. L'avenir nous l'apprendra. Nous verrons si nous pouvons tirer quelque chose de vous, pendant cette moitié de trimestre. Dans le cas contraire, nous n'insisterons pas pour que vous restiez. Votre départ nous comblera de joie.

Ces paroles étaient si inattendues que Miranda en eut le souffle coupé. Elle était entrée dans le bureau pour déclarer que rien au monde ne l'obligerait à rester à Saint-Clair au-delà du temps fixé. Et voilà que Mme Theobald ne tenait pas du tout à la garder plus longtemps, à moins… à moins de découvrir en elle des qualités ou des dons cachés !

« Je me moque d'avoir des qualités cachées ou non, a pensé Miranda, outrée. Dire que papa a osé se plaindre de moi ! C'est honteux ! »

Miranda a rassemblé tout son courage pour exprimer sa pensée à haute voix.

— Mon père vous a dit du mal de moi ! s'est-elle écrié d'une voix tremblante. Je ne lui pardonnerai jamais !

— Il savait qu'il pouvait me parler en toute confiance, a répliqué Mme Theobald. Avez-vous montré beaucoup de discrétion, Miranda ? Pendant le goûter, vous avez raconté vos histoires de famille à tout l'établissement, je crois.

Miranda a rougi. Oui, elle avait trop parlé. Elle est incapable de tenir sa langue.

— Vous pouvez vous retirer, a continué Mme Theobald en reprenant son stylo. Rappelez-vous, ce n'est pas Saint-Clair qui est à l'épreuve, c'est vous ! J'espère que je ne vous dirai pas adieu en me réjouissant de me séparer de vous dans quelques semaines. Cela dépend de vous.

Miranda est sortie du bureau, rouge d'humiliation. Elle avait l'habitude de n'en faire qu'à sa tête, de dire à chacun ses quatre vérités, de commander à ses parents, à son frère et à sa sœur. Quand son père s'était décidé à la mettre en pension, elle avait fait une scène violente. Mais elle avait imaginé tout plier à sa volonté à Saint-Clair. Mme Theobald venait de lui démontrer son erreur.

« Tant pis ! Je leur en ferai voir de toutes les couleurs, s'est-elle promis. Je montrerai à papa et aux autres que je suis fidèle à ma parole. On m'a forcée à quitter la maison. Je ne tarderai pas à y retourner ! »

Miranda s'est efforcée d'être aussi désagréable que possible. Elle a essayé de tyranniser ses compagnes comme elle a tyrannisé son frère et sa sœur. Le résultat n'a pas été pourtant pas celui qu'elle attendait.

Miranda
est un fléau

Les élèves de deuxième division n'en veulent pas à Miranda d'être insupportable pendant les cours qu'elles détestent elles-mêmes. C'est une diversion amusante. Les exercices de mathématiques sont si difficiles ce trimestre, et Mam'zelle fait réciter de si longues listes de règles de grammaire ! Mais, quand il s'agit de matières intéressantes, la littérature anglaise par exemple, ou l'histoire, elles ne dissimulent pas leur agacement.

— Tu as interrompu la lecture de *La Tempête* de Shakespeare avec des remarques idiotes et tu t'es tellement agitée que Miss Jenks a été obligée de répéter sans cesse : « Tenez-vous tranquille ! » lui reproche Pat avec colère.

Conduis-toi assez mal pour que le professeur te mette tout de suite à la porte de la classe ou tiens-toi tranquille !

— Si tu juges de nouveau spirituel de jeter de l'eau sur l'une de nous pendant la leçon d'aquarelle, je te dénoncerai ! Miss Walker nous a toutes grondées et nous avons perdu dix minutes, renchérit Carlotta. Si tu étais vraiment drôle comme Bobbie ou Margaret au dernier trimestre, nous te pardonnerions. Mais tes farces sont idiotes. Tu rends la vie impossible à toute la classe !

— Je ferai ce qu'il me plaira, riposte Miranda.

— Non, intervient Elsie. Anna et moi, nous sommes chefs de classe de cette division et tu dois obéir à nos ordres. Si tu ne te calmes pas, gare à toi !

— Tu sais pourquoi je suis insupportable, réplique Miranda d'un ton insolent.

— On croirait que tu as six ans, à la façon dont tu te conduis, déclare Bobbie indignée. Je t'avertis : si tu continues ainsi, tu t'en mordras les doigts. Toutes nous en avons par-dessus la tête de toi !

L'explosion se produit pendant le cours de diction. Le nouveau professeur, Miss Quentin, a décidé que les élèves joueront une pièce qu'elles auront elles-mêmes composée.

Miss Quentin donne d'excellents conseils, mais elle est très jeune et ne sait pas maintenir l'ordre. Elle compte sur la sympathie qu'elle inspire et sur l'intérêt de ses leçons. Alice l'admire beaucoup et, comme prévu, copie sa coiffure et sa façon de parler. Les autres aiment bien Miss Quentin, ce qui ne les empêche pas de parler et de rire pendant ses cours, puisqu'elle ne punit jamais. En réalité, elles préfèrent les méthodes de Miss Roberts et de Miss Jenks. Miranda, bien entendu, a tôt fait de constater que Miss Quentin est incapable de réprimer ses caprices. C'est chaque fois la même comédie.

— À vous, Miranda, dit Miss Quentin avec un sourire.

La jeune fille feint de ne pas entendre et Miss Quentin élève la voix.

— Miranda, c'est votre tour !

Les autres élèves jettent à leur camarade des regards impatients. Elle leur fait perdre du temps, à un moment où elles désirent travailler ! Miranda sursaute et fait semblant de sortir d'une profonde rêverie. Elle se trompe de passage, débite des phrases qui ne sont pas dans son rôle et se fait un malin plaisir de paraître gauche et empruntée. Miss Quentin ne sait plus quoi faire.

— Miranda, je n'ai encore jamais mis personne à la porte, dit-elle d'une voix plaintive qui déchire le cœur d'Alice. Recommençons et faites attention.

Un matin, Alice doit jouer une scène qu'elle aime particulièrement. Elle connaît son texte sur le bout des doigts et se flatte d'être une excellente actrice. Elle attend son tour avec impatience, se réjouissant d'avance du succès qu'elle remportera et des louanges qu'elle recevra.

La cloche doit sonner dans dix minutes. Alice a juste le temps de montrer ses talents. Sauf que Miranda choisit ce moment pour se livrer à de nouvelles excentricités ! Elle massacre les vers qu'elle doit réciter et fait des gestes grotesques. Miss Quentin doit lui ordonner de recommencer deux ou trois fois. Le professeur, fidèle à sa méthode, se montre patiente et encourageante. Alice, les yeux sur la pendule, se mord les lèvres. Le cours va finir sans qu'elle ait pu quitter sa place !

— Voyons, Miranda, dit Miss Quentin de sa voix douce. Recommencez. De cette façon…

C'en est trop pour Alice. Elle tape du pied.

— Miranda, ça suffit ! Tu es odieuse avec Miss Quentin qui est si patiente ! Tu nous as fait perdre notre temps, je ne pourrai pas réciter mon rôle.

— Pauvre petite Alice ! riposte Miranda d'un ton moqueur. Elle qui avait tellement envie de se pavaner devant tout le monde et de se faire complimenter par Miss Quentin !

Un profond silence succède à ces paroles. Alice fond en larmes. Carlotta envoie une gifle retentissante à Miranda. Miss Quentin contemple la scène, horrifiée.

— Allons ! À quoi pensez-vous ? Je ne tolérerai pas de telles violences, c'est inadmissible ! Carlotta, faites des excuses à Miranda !

— Bien sûr que non, répond Carlotta. Je ne veux pas vous désobéir, Miss Quentin, mais vous voyez par vous-même que Miranda a bien mérité cette gifle. Personne, sauf moi, n'aurait osé la lui donner. Depuis longtemps, Miranda avait gagné une punition.

La cloche sonne. Le cours est terminé, au grand soulagement de Miss Quentin. Elle se hâte de rassembler ses livres.

— Nous n'avons pas le temps d'en dire davantage, déclare-t-elle. On m'attend dans une autre classe. Carlotta, j'insiste pour que vous fassiez des excuses à Miranda !

Très émue, elle sort de la salle. Carlotta éclate de rire.

— Ne me regardez pas comme si j'avais commis un crime, dit-elle à ses camarades. Reconaissez que vous aviez toutes envie de gifler Miranda. Nous en avons assez de ses comédies ! C'est dommage que la mi-trimestre soit encore loin. Quelle joie d'assister à son départ !

— Carlotta, tu ne devrais pas parler de cette manière ! s'écrie Pat. Alice, je t'en prie, cesse de pleurnicher. Miranda, tu méritais une leçon. Maintenant, peut-être, tu te conduiras convenablement.

Miranda est devenue très pâle. Elle n'a pas tenté de rendre la gifle à Carlotta.

— Si vous croyez que vous m'empêcherez de faire ce que je veux, vous vous trompez ! rétorque-t-elle enfin d'une voix étranglée. Au contraire, vous n'avez encore rien vu !

— Je vais te donner un avertissement, dit Henriette. Si tu ne cesses pas de faire l'idiote, nous te rendrons la vie impossible. Je ne veux pas dire que nous te giflerons. Il y a d'autres moyens.

Miranda garde le silence, mais ni ce jour-là ni le lendemain elle ne fait un effort pour se montrer raisonnable. Les élèves décident de mettre leurs menaces à exécution. Elles se réunissent dans une des salles de musique. Elsie est au comble de la joie. Elle se sent très importante, car, en tant que chef de classe, c'est à elle de donner les ordres.

— Je vais décider ce que nous ferons pour nous venger de Miranda, commence-t-elle.

— « Venger » n'est pas le mot juste, Elsie, interrompt Pat. Il faut seulement l'empêcher de se rendre ridicule. Si elle continue, nous serons toutes punies.

— Appelle cela comme tu voudras, réplique Elsie d'un ton impatient. Voilà ce que je propose : nous cacherons ses livres, nous mettrons son lit en portefeuille chaque soir, nous coudrons les poches et les manches de son manteau, nous remplirons de pierres ses bottes de hockey…

— Ce sont des méchancetés pures et simples, proteste Pat. Je sais que Miranda est odieuse et qu'elle a besoin d'une bonne leçon, mais ne soyons pas aussi mauvaises qu'elle.

— Fais ce que tu voudras, réplique Elsie. Si tu es trop sainte-nitouche pour approuver les idées de ton chef de classe, beaucoup d'autres m'obéiront.

— Je suis sûre qu'Anna n'est pas de ton avis, dit Isabelle en se tournant vers la placide Anna, assise près d'Elsie.

La discussion se prolonge. Pat conseille la modération. Seule Ellen ne prend pas part au débat. Comme d'habitude, elle est plongée dans une profonde rêverie et ne prête aucune attention à ce qui se passe autour d'elle. Les élèves se sont habituées à Rabat-Joie, comme elles l'appellent, et ne lui adressent plus la parole.

— Je suis d'accord, dit Pat, tandis que ses compagnes se dispersent, sur le fait que nous devons donner une leçon à Miranda. Mais je trouve qu'Elsie va trop loin.

— Je regrette bien qu'elle soit chef de classe, renchérit Bobbie. Quant à Anna, c'est comme si elle n'était pas là. Elle est si paresseuse !

— Miranda aura quelques surprises désagréables, déclare Alice qui a ses projets secrets. Je ferai tout ce que je pourrai pour cela.

— J'espère que Miss Quentin t'en félicitera ! s'écrie Bobbie et elle s'enfuit, sans laisser à Alice le temps de riposter.

Miranda et Rabat-Joie

Être considérée comme un poison par les professeurs et les élèves est peu agréable. Miranda en a assez de jouer ce rôle. Contrairement à ce qu'elle espérait, loin de faire rire, son attitude a suscité l'irritation générale. Elle regrette déjà de s'être montrée sous son plus mauvais jour.

Le soir du jour où elle a été giflée par Carlotta, Miranda se sent profondément malheureuse. Personne n'a d'affection ni même de sympathie pour elle. Son propre père l'a renvoyée de la maison ! Avec le consentement de sa mère ! Comment supporter pareille dureté de cœur ? On ne peut y répondre que par la révolte et le défi.

Miranda n'a pas le courage de passer la soirée dans la salle de loisirs. Elle s'esquive et se faufile dans une petite salle de musique. Elle a caché avec soin qu'elle était une excellente musicienne. Miranda joue bien du piano et mieux encore du violon. Pourtant, par esprit d'opposition, elle a refusé de prendre des leçons quand son père lui en a proposé.

— Tu pourras travailler à Saint-Clair, lui avait-il dit. Il y a des professeurs de grand talent.

— À quoi bon ? avait répliqué Miranda. Je n'y passerai qu'un mois et demi et ce n'est pas la peine de payer tout un trimestre de leçons pour si peu de temps.

— Comme tu voudras, avait répondu son père.

Il n'a donc pas parlé de musique à Mme Theobald. Miranda se trouve ainsi privée de son plus grand plaisir. La musique seule met un peu de douceur dans sa nature énergique et autoritaire. Ce soir-là, elle se sent perdue ; jamais dans sa vie elle n'a été aussi malheureuse. Elle pense à son violon et regrette de tout son cœur de ne pas l'avoir apporté à Saint-Clair.

La salle de musique est obscure. Miranda n'allume pas. La lumière attirerait l'attention si quelqu'un passait dans le couloir... Il faudrait parler et répondre à des questions. Elle s'assoit et s'accoude à une petite table pour réfléchir.

Ses mains touchent alors quelque chose. Un étui de violon ! Les doigts tremblants, elle l'ouvre et en sort l'instrument. Elle le place sous son menton et, à tâtons, cherche l'archet.

Soudain, la petite salle obscure se remplit de musique. Miranda joue pour se consoler, pour oublier. Les notes cristallines jaillissent sous l'archet. C'est un enchantement. Déjà l'amertume se dissipe.

« Je me sens mieux, se dit enfin Miranda. Beaucoup mieux. Je n'imaginais pas à quel point la musique me manquait. Je me demande où est le piano. J'en jouerai bien aussi. Pourquoi n'y ai-je pas pensé plus tôt ? »

Les bras tendus, elle cherche le piano et joue dans l'obscurité. Elle exécute de mémoire des mélodies tristes et nostalgiques, en accord avec son humeur. Persuadée qu'elle est seule, elle met tout son cœur dans son jeu. Soudain, un bruit retentit derrière elle. Elle s'arrête aussitôt, le cœur battant. Un sanglot étouffé lui parvient.

— Qui est là ? demande-t-elle à voix basse.

Pas de réponse. Des pas se dirigent vers la porte. Miranda a un élan de colère. Qui donc l'espionne ? Qui est entré sans bruit dans la salle ? Elle se lève d'un bond, se jette sur l'ombre qu'elle aperçoit près de la porte et saisit la manche d'un gilet.

— Qui est là ? répéta-t-elle.

— C'est moi… Ellen, répond une voix. J'étais seule, ici, quand tu es entrée. Je ne savais pas pourquoi tu venais. Je serais partie, mais tu as joué si bien que je suis restée. Cette musique était si belle que je n'ai pas pu m'empêcher de pleurer.

— Rien d'étonnant, tu pleures toujours ! riposte Miranda impatiente. Qu'as-tu donc ?

— Je ne te le dirai pas, réplique Ellen. Tu le répéterais à toutes les autres et elles riraient. Elles m'ont surnommée Rabat-Joie, je le sais. C'est vilain de leur part. À ma place, elles seraient aussi des rabat-joie.

— Pourquoi ? Dis-le-moi. Je ne me moquerai pas de toi.

— N'allume pas ! supplie Ellen. C'est idiot, je le sais, mais s'il y a de la lumière, je ne pourrai pas parler.

— Tu es une drôle de fille, fait remarquer Miranda. Eh bien, je t'écoute.

— C'est ma mère, commence Ellen. Elle est très malade, à l'hôpital. Je ne sais pas si elle guérira. Tu ne peux pas imaginer à quel point je l'aime et combien elle me manque. Mon père est mort. Je n'ai ni frère ni sœur, seulement maman. Jusqu'à présent je ne l'avais jamais quittée, même pour une nuit. Tu aurais raison de me traiter de bébé, mais sans elle, c'est comme si j'étais abandonnée de tous. Je suis malheureuse loin de ma maison. Je voudrais retourner auprès de maman.

Ellen éclate de nouveau en sanglots. Son chagrin est si sincère que Miranda oublie ses griefs et ses préoccupations et, d'un geste gauche, pose sa main sur l'épaule de sa compagne. Elle méprise un peu Ellen de pleurer si facilement, mais elle ne peut s'empêcher d'éprouver de la pitié.

— Tu préférerais être à ma place ? demande-t-elle en disant la première chose qui lui passe par la tête. Renvoyée de ta maison par ta mère et ton père qui ne veulent plus de toi et qui te reprochent d'imposer ta volonté à ton frère et à ta sœur ? C'est ce qu'il faut que je supporte. Je suis encore plus à plaindre que toi !

Ellen lève la tête et, pour la première fois, oublie ses soucis.

— Toi à plaindre ? Ne dis pas n'importe quoi ! Tu ne connais pas ta chance. Avoir un père et une mère, un frère et une sœur que tu peux aimer et qui ne demandent qu'à te rendre ton affection ! Moi, je n'ai que maman ! Miranda, tu méritais d'être envoyée en pension si tu n'étais pas gentille avec les tiens. Si j'avais toute une famille, je m'estimerais heureuse et je n'obligerais pas mes parents à me mettre en pension. Tu devrais avoir honte de toi !

Jamais encore un si long discours n'était sorti de la bouche de la silencieuse Ellen. Stupéfaite, Miranda ne sait si elle doit se fâcher ou non.

— Pardon, dit Ellen d'une voix étouffée. Tu es malheureuse et je le suis aussi. Je devrais avoir pitié de toi et te consoler, mais tu es responsable de ton malheur, moi pas. C'est la différence entre nous.

La porte claque et Miranda se retrouve seule. La surprise la cloue sur place. Qui aurait imaginé qu'Ellen était capable de tant de véhémence ? Miranda songe à la vie familiale. Elle revoit les boucles dorées de sa petite sœur, la tête brune de son frère penchée sur un livre de classe. Elle repense au visage doux et patient de sa mère qui a longtemps cédé à tous ses caprices. Elle se rappelle la tristesse qui assombrit les traits de son père quand elle lui répond avec insolence.

« Maman n'aurait pas dû permettre qu'on me mette en pension. Henri et Jeannette auraient dû prendre ma défense. Mais ils sont encore bien petits. C'est vrai, après tout, que j'ai un caractère difficile ! Ils se sont tous réjouis de mon départ. Personne n'a besoin de moi, personne ne m'aime ! »

Accablée, Miranda oublie qu'à ses yeux les larmes sont un signe de faiblesse. Elle se laisse tomber sur une chaise, et, la tête dans ses bras, pleure. Elle ne pense plus à Ellen et s'apitoie sur son triste sort. Au bout d'un moment, elle s'essuie les yeux et se redresse.

— Je vais changer de comportement, décide-t-elle. Je partirai à la mi-trimestre, je retournerai à la maison et j'essaierai d'être plus gentille. J'en ai assez d'être stupide ! Dès demain, je serai polie et attentive. Les autres se montreront peut-être plus amicales.

Elle se lève et allume la lumière. Sa montre marque neuf heures moins dix. Il sera bientôt l'heure de se coucher. Elle s'assied devant le piano, joue un moment et, quand la cloche sonne, monte au dortoir, armée de bonnes résolutions. Que d'amies elle comptera quand les élèves s'apercevront qu'elle peut être aimable et souriante ! Les jumelles, en particulier, s'empresseront de gagner ses faveurs.

Pauvre Miranda ! Elle se couche, mais ne peut allonger ses jambes. Elsie et Alice ont caché du houx dans ses draps ! Les feuilles piquantes l'égratignent. Miranda pousse un cri de douleur.

— Qui a mis cette horrible chose dans mon lit ? Je crois que je saigne !

Jamais encore on ne lui a joué un tour de ce genre. Elle ne comprend pas ce qui se passe. Elle tire violemment drap pour voir ce qui la pique, et le tissu se déchire.

Les élèves rient aux éclats. Doris se roule sur son oreiller et la placide Anna elle-même pousse des cris de joie. Isabelle et Patricia, qui ont désapprouvé la plaisanterie, ne peuvent néanmoins s'empêcher de la trouver comique.

— Il faudra que tu avoues à Mme Rey que tu as déchiré ton drap, dit Elsie. À moins de le recoudre ? Tu en auras pour deux bonnes heures !

Furieuse et blessée, Miranda jette le houx à la tête d'Elsie. Elle refait son lit et se couche. Ses camarades rient encore un moment et s'endorment enfin.

Le lendemain matin, Miranda se réveille de bonne heure. Elle se rappelle ses résolutions de la veille. Pas facile de gagner l'estime et l'amitié.... Pourtant, elle ne peut continuer ses inepties. Quand on a honte de soi, la seule chose intelligente à faire, c'est de changer de conduite.

Animée de bonne volonté, Miranda descend en classe. Elle travaillera bien. Elle apprendra par cœur les règles de grammaire françaises, ce qui sera pour Mam'zelle une agréable surprise. Elle s'appliquera à plaire à Miss Jenks. Elle s'excusera auprès de Miss Quentin. Elle sera même gentille pour cette sauvage de Carlotta et lui pardonnera la gifle reçue. Les élèves comprendront qu'elle n'est pas méchante, elles aussi changeront d'attitude et deviendront ses amies. À la mi-trimestre, elle partira et ne laissera derrière elle que des regrets. C'est en imaginant un avenir couleur de rose que la pauvre Miranda commence la journée. Hélas ! Une affreuse déception l'attend !

COLLÈGE
SAINT-CLAIR
PENSION DE JEUNES FILLES

chapitre 6

Une journée mouvementée

Plus encore que les autres, Alice et Elsie gardent rancune à Miranda. Elsie, parce qu'elle est vindicative par nature, Alice, parce que Miranda l'a empêchée de réciter son texte pendant le cours de Miss Quentin.

— Je coudrai les manches de la veste de Miranda, chuchote Alice à Elsie. Et à points bien serrés ! Quelle tête elle fera !

— Moi, je cacherai quelques-uns de ses livres, continue Elsie. Anna, va chercher les chaussures de Miranda au vestiaire. Nous mettrons des petits cailloux dedans.

— Je suis fatiguée, proteste Anna. Vas-y, toi, Elsie !

Avant le cours, alors que la classe est encore déserte, Elsie prend plusieurs livres et plusieurs cahiers dans le pupitre de Miranda. Elle fait couler de l'encre sur un devoir de mathématiques, prêt à être rendu au professeur.

— Cela lui apprendra ! murmura-t-elle. Mais où vais-je mettre ses livres ?

Après réflexion, elle les enfouit au fond d'un placard où l'on range les ouvrages de travaux manuels. Elle les recouvre de pelotes de laine. Comme il lui reste encore quelques minutes, elle cherche un autre mauvais tour à jouer.

Une liste fixée au mur indique aux élèves les diverses corvées qu'elles doivent accomplir. Elsie s'en approche. Cette semaine, c'est à Miranda de veiller à ce que les vases de fleurs soient pleins d'eau. Elsie a un sourire méchant.

« Je vais les vider. Les fleurs se faneront, Miss Jenks s'en apercevra et Miranda sera grondée pour son oubli. »

L'eau des quatre grands vases est jetée par la fenêtre, les fleurs remises en hâte à leur place. C'est alors que la cloche sonne.

Les élèves de deuxième division arrivent. Alice tient la porte pour Miss Jenks. Miranda examine ses compagnes dans l'espoir de recevoir un sourire amical. Elle meurt d'envie d'annoncer ses bonnes résolutions. Personne ne la regarde, sauf Elsie qui donne un coup de coude à Anna et se détourne.

— Voici Miss Jenks ! chuchote Alice.

Les élèves cessent de bavarder, se lèvent et attendent en silence. Miss Jenks exige la politesse.

— Bonjour, jeunes filles, dit le professeur en posant ses livres sur son bureau. Asseyez-vous. Oh !... Que vois-je ? Alice, qu'avez-vous à votre poignet ?

— Un bracelet, répond Alice d'un ton boudeur.

Un grand éclat de rire fuse dans la classe. Ce bracelet ressemble beaucoup à celui que porte Miss Quentin. Alice prend le professeur de diction pour modèle et s'efforce de lui ressembler.

— Alice, je suis fatiguée de vous dire que je ne tolère ni les colliers, ni les bracelets, ni les autres bijoux. Votre vanité et les stupidités de Miranda me rendent folle. À cause de vous deux, j'ai des cheveux blancs !

Miss Jenks a une belle crinière rousse sans un seul cheveux blanc. Aussi les élèves se contentent-elles de sourire.

—Apportez-moi ce bracelet, Alice, ordonne le professeur d'une voix lasse. Je vous le rendrai dans huit jours, à condition que, d'ici là, je n'aie pas été obligée de confisquer d'autres bijoux ou d'autres fanfreluches.

Alice obéit à contrecœur. Elle sait bien que le règlement interdit les bijoux, mais la petite vaniteuse ne peut pas s'empêcher de se surcharger d'ornements.

— Prenez votre livre de mathématiques et commencez les problèmes de la page 147, reprend Miss Jenks. Ils ne sont pas difficiles. Mettez-vous au travail. Vous m'apporterez l'une après l'autre votre devoir. Je le corrigerai devant vous.

Livres et cahiers sont ouverts et la concentration règne dans la classe. Miranda cherche partout, dans son pupitre, son livre de mathématiques. Étrange… Il n'a pas l'air d'y être !

— N'as-tu pas vu mon livre de maths ? chuchote-t-elle à Margaret.

— Pas de bavardages ! lance Miss Jenks qui a l'ouïe fine. Qu'avez-vous, Miranda ? C'est encore une de vos interruptions habituelles, je suppose.

— Non, miss Jenks, répond Miranda d'un ton soumis. Je ne trouve pas mon livre de mathématiques, c'est tout.

— Miranda, vous cherchez encore un prétexte pour déranger tout le monde. Prenez immédiatement votre livre et mettez-vous au travail !

— Mais, Miss Jenks, il n'est pas là, je vous assure ! insiste la jeune fille en fourrageant de nouveau dans son pupitre.

Elsie rit sous cape… Miranda peut bien le chercher toute la journée, elle ne le trouvera pas !

— Suivez avec Margaret ! ordonne Miss Jenks d'un ton sec, car elle n'est qu'à moitié persuadée.

Miranda pousse un soupir de soulagement et se prépare à copier les problèmes du livre de Margaret. Elle prend le devoir de mathématiques, qu'elle a fait la veille, à l'étude, pour le montrer à Miss Jenks et retient une exclamation horrifiée. Il est couvert de taches d'encre !

« Justement le jour où je décide d'être sage comme une image, il faut que ces accidents m'arrivent ! pense Miranda, consternée. Ce n'est pas moi qui ai renversé de l'encre sur mon devoir. Miss Jenks ne le croira jamais. »

Miranda ne se trompe pas. Miss Jenks ne la croit pas. Elle regarde le devoir d'un air de dégoût et refuse de le corriger.

— Encore un de vos petits tours. Vous n'avez plus qu'à tout recommencer.

— Miss Jenks, ce n'est pas moi qui ai fait ces taches, affirme Miranda.

Mais elle a rendu trop de devoirs sales et bâclés, Miss Jenks ne peut la croire.

— Je ne tiens pas à négocier, déclare le professeur. Recopiez-le ce soir et donnez-moi demain un devoir propre.

Miranda retourne à sa place. Elle surprend le mauvais sourire d'Elsie, mais ne devine pas le complot ourdi contre elle. Irritée et perplexe, elle s'assied.

Le cours de français succède à celui de mathématiques. Miranda découvre avec désespoir que, non seulement ses livres de lecture, mais aussi le devoir qu'elle a fait la veille, ont disparu. Elle fouille partout. Mam'zelle prend un ton sarcastique.

— Miranda, je voudrais savoir si vous fermerez votre pupitre avant la fin du cours. Que faites-vous là-dedans ?

— Mam'zelle, je suis désolée, mais je ne trouve pas le devoir de français que j'ai fait hier, avoue Miranda en émergeant de son pupitre, rouge et tourmentée.

Mam'zelle exige que les devoirs lui soient rendus ponctuellement. Elle ne supporte pas l'inexactitude. Elle fronce les sourcils et ses verres glissent le long de son nez. Ce sont les signes d'un orage imminent. Mam'zelle remonte ses lunettes.

— Miranda, vous ne trouvez pas votre devoir ? Combien de fois ai-je entendu cette excuse depuis que je suis à Saint-Clair ? Mille fois, dix mille fois ? Vous n'avez pas fait votre travail. Ne niez pas, je le sais. Vous êtes abominable ! Vous l'avez été depuis votre arrivée. Vous le serez toujours. Vous me donnerez ce devoir avant la fin de la matinée ou vous ne jouerez pas au hockey, cet après-midi !

— Mais, mam'zelle, je l'ai fait… je vous assure, proteste Miranda presque en larmes. Je ne peux pas retrouver non plus mes livres de français. Ils ont disparu.

— Cette Miranda m'empêche toujours de faire mon cours ! crie Mam'zelle en levant les mains vers le plafond, d'un geste furieux que Doris se promet bien d'imiter. Elle perd ses affaires… elle les cherche… elle trouve des tas de prétextes… Je ne supporte pas cette fille !

— Personne ne la supporte ! renchérit Elsie, ravie de son succès.

Miranda lui jette un regard irrité. Elle commence à se demander si ses compagnes ne sont pas responsables de ces mystérieuses disparitions.

« Quel dommage que tout cela arrive aujourd'hui ! pense-t-elle. Mam'zelle devrait me croire. Je dis la vérité. »

Mais Miranda a débité tant de mensonges qu'elle ne peut s'en prendre qu'à elle. Elle fait une nouvelle tentative.

— Je vous en prie, croyez-moi, Mam'zelle ! s'écrie-t-elle. Elsie m'a vue écrire mon devoir, hier soir. N'est-ce pas, Elsie ?

— Jamais de la vie ! répond méchamment cette dernière.

— Menteuse Miranda ! s'écrie Mam'zelle. Vous ferez ce devoir avant midi et vous copierez *Le Loup et l'Agneau* de La Fontaine en guise de punition.

Deux devoirs à refaire pendant la récréation ! Miranda cherche un peu de sympathie autour d'elle. D'habitude, quand une élève se fait gronder, les autres la réconfortent du regard. Mais toutes détournent les yeux. Cette peste n'a que ce qu'elle mérite ! Pauvre Miranda ! Elle n'est pas au bout de ses peines. Mam'zelle remarque que les fleurs semblent flétries.

— Qui est chargée des fleurs, cette semaine ?

— Moi, répond Miranda.

— Regardez-les, reprend Mam'zelle. Il n'y a sans doute pas une goutte d'eau dans les vases.

— Je les ai remplis hier, répond la jeune fille avec indignation.

Mam'zelle s'avance vers le vase le plus proche et le soulève.

— Pas une goutte. Vous allez prétendre que quelqu'un a vidé l'eau, Miranda ?

Le temps d'un éclair, cette dernière pense que c'est peut-être bien la vérité… Mais qui aurait pu commettre un acte si lâche et si mesquin ? Elle rougit et ne dit rien.

— Vous avez pensé sans doute que je vous permettrais de manquer une partie du cours pour que vous puissiez réparer votre négligence, continue Mam'zelle. Henriette, avez-vous fini de répondre aux questions inscrites sur le tableau noir ? Oui. Alors, remplissez les vases, voulez-vous ?

Miranda passe toute la récréation à travailler. Elle devine maintenant, aux coups de coude et aux regards échangés, que ses compagnes ne sont pas étrangères à ses ennuis, et elle en est irritée et blessée.

« Quelles filles horribles ! » songe-t-elle.

Elle est en retard pour la partie de hockey, car elle n'a pu enfiler sa veste dont les manches sont cousues. Les points d'Alice sont si serrés qu'elle est obligée d'aller chercher des ciseaux. Elle a envie de pleurer.

Quand elle veut mettre ses chaussures, elle pousse un cri de douleur. Des petits cailloux pointus s'enfoncent dans sa peau ! Impossible de faire un pas. Elle doit prendre le temps de vider ses souliers.

Miss Wilton, le professeur d'éducation physique, a déjà donné le signal.

— Vous êtes en retard, Miranda ! crie-t-elle. Vous n'avez qu'à attendre. Puisque vous ne prenez pas la peine d'être à l'heure, vous ne jouerez pas tout de suite.

Miranda, immobile, grelotte dans le froid. Des larmes lui montent aux yeux. Tout est contre elle. À quoi bon essayer de changer ? À la mi-temps, Miss Wilton l'appelle.

— Pourquoi étiez-vous en retard ? Vous êtes arrivée un quart d'heure après les autres.

Elle attend les excuses de Miranda. Alice se sent mal à l'aise. Elle n'avait pas prévu que Miss Wilton poserait des questions. Elle craint d'être punie pour avoir cousu les manches de sa compagne, car elle sera bien obligée de se dénoncer si Miranda se plaint. Ses notes du dernier trimestre ont été déplorables, et son père l'a sévèrement grondée.

Miranda ouvre la bouche pour raconter ses malheurs : les manches de sa veste cousues, les cailloux dans ses chaussures. Mais elle se ravise. Combien de fois a-t-elle dit à son frère et à sa sœur que rapporter est l'acte le plus bas que l'on puisse commettre !

« Ces filles méritent d'être grondées, pense-t-elle. Mais, pour me venger d'elles, je ne deviendrai pas rapporteuse ! »

Elle ne desserre pas les lèvres.

— Eh bien, puisque vous n'avez pas d'excuses, enlevez votre manteau et prenez part au match, conclut Miss Wilton avec impatience. Mais la prochaine fois, si vous êtes en retard, vous ne jouerez pas du tout. Vous retournerez en classe et vous demanderez à Miss Jenks de vous donner du travail.

La partie reprend. Plusieurs élèves commencent à avoir des remords. Miranda ne les a pas dénoncées. C'est chic de sa part. Elle remonte dans leur estime.

« Il faut arrêter de la brimer, décide Pat. Ce soir, je le dirai à Elsie ! »

chapitre 7

Hourra pour les jumelles !

Une nouvelle réunion, cette fois convoquée par Pat, a lieu, ce soir-là, dans la salle de loisirs. Toutes les élèves sont là, sauf Miranda, retournée en classe pour refaire son devoir de mathématiques.

— À quoi rime cette convocation ? demande Elsie, indignée qu'on lui ait enlevé ses prérogatives.

— Il s'agit de Miranda, déclare Pat. Vous le savez toutes, elle aurait pu faire punir plusieurs d'entre nous, et elle a gardé le silence. Assez de mauvais tours ! Elle a été suffisamment punie aujourd'hui.

— Je ne suis pas du tout de cet avis, affirme Elsie. La leçon ne fait que commencer. Elle sera plus insupportable que jamais si nous la laissons tranquille.

— Non. En voilà assez ! insiste Pat. Je ne suis pas du tout fière de nous. Quelques-unes sont même allées trop loin. Qui a éclaboussé d'encre son devoir de mathématiques et jeté l'eau des vases ?

Il y a un silence. Elsie s'empourpre, mais elle n'a pas le courage de s'accuser, de peur de soulever l'indignation.

— Je crois que c'est Elsie ! s'écrie Carlotta. Voyez comme elle est rouge !

Tous les yeux se portent sur cette dernière.

— Ce n'est pas moi, proteste-t-elle. Et nous ne devons pas nous arrêter en si bon chemin. Une fille qui fait exprès de se rendre désagréable n'est pas digne de pitié.

— Elle a passé une très mauvaise journée, intervient Isabelle. Cela lui donnera sûrement à réfléchir. Maintenant écoutons Pat. Cessons de la tourmenter.

— Tu parles comme si Pat était chef de classe, reprend Elsie, furieuse.

— Elle nous donne un bon conseil, déclare Bobbie. Je suis sûre qu'elle ferait un meilleur chef de classe que toi, Elsie.

— D'ailleurs n'oublie pas que tu n'es pas seule, fait remarquer Pat. Anna a le même titre.

70

Anna a l'air de somnoler. Bobbie se tourne vers elle.

— J'avais oublié son existence ! À quoi sert-elle puisqu'elle ne pense qu'à dormir ? Nous avons deux chefs de classe dans notre division : une chipie et une paresseuse !

— Tais-toi, Bobbie, ordonne Pat, gênée. Inutile de te mettre en colère. Revenons à nos moutons. À mon avis, nous ne devons plus tourmenter Miranda. Voyons d'abord si nos niches lui ont servi de leçon. Elle sait que nous sommes toutes contre elle. Ce doit être horrible !

— Patricia O'Sullivan, si tu ne cesses pas de parler comme si tu étais chef de classe, tu t'en repentiras, crie Elsie, irritée par les paroles de Bobbie. Anna, réveille-toi et soutiens-moi !

— Je crois que tu as tort, prononce Anna de sa voix douce. Je me range à l'avis de Pat. Je n'ai plus aucune rancune contre Miranda.

— Tu es bien trop paresseuse pour éprouver un sentiment quelconque, riposte Elsie, surprise, et de plus en plus en colère. Tu le sais bien, à nous deux nous devons prendre les décisions. Les autres n'ont qu'à nous obéir, c'est le règlement.

— En ce moment, je te désapprouve, annonce Anna. Je suis gourmande et paresseuse, j'ai beaucoup d'autres défauts, mais je ne suis pas chipie. Et, en ma qualité de chef de classe, je déclare qu'il faut cesser de jouer des mauvais tours à Miranda.

— Deux chefs de classe qui se contredisent ! fait remarquer Pat. Il ne nous reste qu'à voter pour savoir laquelle des deux nous écouterons. Celles qui sont pour Anna, levez la main droite !

Toutes les mains droites se lèvent immédiatement. Anna se met à rire et, pour une fois, paraît bien réveillée. Elsie pâlit.

— Maintenant levez la main, celles qui veulent écouter Elsie, reprend Pat.

Pas une seule main ne se lève. Les yeux d'Elsie étincellent.

— C'est tout ce que je pouvais attendre de petites sottes de première division, crie-t-elle d'une voix tremblante. Je vais vous dire qui a vidé l'eau des vases et jeté de l'encre sur le devoir de mathématiques de Miranda. C'est votre chère Anna ! Si vous voulez obéir à une fille capable d'actes pareils et honteuse de les avouer, grand bien vous fasse !

Elle sort en claquant la porte. Anna promène un regard autour d'elle.

— Je vous assure que je ne suis pas coupable, dit-elle de sa voix traînante.

Tout le monde la croit. Anna est paresseuse, elle esquive les responsabilités, mais au moins elle est sincère et loyale.

— Je ne considère plus Elsie comme notre chef de classe, proclame Isabelle. Nous aurons simplement Anna. Voyons, Anna, fais un effort et prends des décisions.

— Pauvre Anna ! Elle sera obligée d'ouvrir les yeux et ne pourra plus dormir toute la journée, soupire Carlotta d'un ton malicieux.

Anna se lève.

— Je suis aussi fatiguée que vous de la méchanceté d'Elsie, déclare-t-elle. Si vous vous contentez de moi comme chef de classe, je tâcherai d'être à la hauteur des circonstances. Ce n'était pas agréable de partager ce titre avec Elsie. Je ne veux pas dire du mal d'elle, mais j'approuve rarement ses décisions. Nous cesserons de persécuter Miranda, c'est entendu. Pourtant, cela ne me paraît pas suffisant. Il faut faire un acte positif, quelque chose qui la remette dans le bon chemin.

Tous les yeux se tournent vers Anna. C'est la première fois que cette nonchalante fait un si long discours ou donne un avis. Pat trouve que sa suggestion est excellente.

— Oui, tu as raison, approuva-t-elle. Mais je ne vois pas comment nous nous y prendrons.

Miranda est si difficile ! Elle n'a montré aucune qualité et n'a aucun talent.

— Elle est faible dans toutes les matières, elle n'aime pas les sports, elle ne sait ni dessiner ni peindre, elle est mauvaise en gymnastique, renchérit Isabelle. Si elle avait un don quelconque, ce serait un point de départ. Nous lui adresserions des compliments, nous ferions appel à son amour-propre. Elle n'oserait plus se conduire comme une sotte.

À la surprise générale, Rabat-Joie prend la parole d'une voix timide.

— Miranda a un don. Un don merveilleux !

Toutes regardent Ellen, doublement étonnées. D'abord par ses paroles, ensuite par le fait même qu'elle a parlé. Sous tant de regards, Ellen semble se ratatiner. Elle regrette son audace. Contrairement à son habitude, elle s'est intéressée à la discussion et, soudain, elle a eu envie de prendre la défense de l'accusée. Après tout, Miranda a été bonne pour elle la veille, elle lui a mis la main sur l'épaule.

— Que veux-tu dire ? demande Anna.

— C'est une musicienne extraordinaire, balbutie Ellen, terrifiée d'émettre une opinion devant tant de monde.

— Comment le sais-tu ? demande Pat. Elle n'a jamais joué d'aucun instrument et elle n'ouvre même pas la bouche pendant le cours de chant.

— Je le sais, parce que je l'ai entendue, répond Ellen. Hier soir, elle était dans la petite salle de musique, celle qui est au fond du corridor. D'abord elle a joué du violon, puis du piano. Dans l'obscurité. C'était magnifique.

— Dans l'obscurité ! répète Carlotta. C'est bizarre ! Tu as l'habitude d'aller t'asseoir toute seule dans le noir ?

Ellen ne sait que répondre. Elle ne peut pas avouer qu'elle va souvent se réfugier dans un coin sombre quand elle se sent trop malheureuse. Les élèves se moqueraient d'elle et elle ne le supporterait pas. Elle reste donc muette.

— Tu ne veux pas répondre ? reprend l'Espagnole avec impatience. Tu vas souvent écouter Miranda jouer dans l'obscurité ?

— Non, bien sûr que non, réplique Ellen. Je me trouvais là par hasard. Miranda est entrée. Elle ne m'a pas vue. Je l'ai entendue jouer.

Les élèves échangent des regards. Ainsi, Ellen se cache dans une salle de musique, le soir, toute seule ! Étrange, cette fille ! Elles regardent son petit visage maigre et pâle et deux ou trois ont un élan de pitié pour cette Rabat-Joie qui recherche la solitude. Il n'y a ni rire ni taquinerie. Carlotta elle-même ne fait aucune remarque.

— Vous savez quoi ? déclare Margaret en promenant un regard sur ses camarades, Miranda me rappelle les jumelles O'Sullivan.

— Pourquoi ? demande Pat, étonnée.

— Tu as oublié combien vous étiez odieuses toutes les deux, il y a un an, quand vous êtes arrivées à Saint-Clair, expliqua Margaret. Vous aviez pris la décision d'être insupportables et vous avez réussi. Vous devriez comprendre toutes les deux l'attitude de Miranda. Dites-nous ce que nous pouvons faire pour l'aider. Pourquoi avez-vous changé d'idée, comment vous êtes-vous habituées ici, et êtes-vous devenues pour nous de si bonnes camarades ?

— Nous avons compris que nous nous conduisions d'une façon stupide et que nous étions antipathiques à tout le monde. Nous avons réagi. Nous nous sommes acclimatées et nous avons tout aimé à Saint-Clair, dit Pat simplement.

Devant cet aveu spontané et souriant, il n'y a qu'un cri :

— Hourra pour les jumelles !

Prenant l'air d'un vrai chef de classe, Anna déclare :

— Eh bien, c'est exactement ce que nous ferons ! Miranda a été très chic de ne dénoncer personne aujourd'hui et nous serons indulgentes pour elle. Si seulement nous pouvions la persuader de jouer du piano et du violon pour nous ! Si nous lui faisions des compliments, elle s'habituerait peut-être aussi. Qu'en pensez-vous ?

— Tu as raison, Anna ! répondent toutes les autres, y compris Ellen.

Pat regarde Anna avec surprise. Elle n'aurait jamais imaginé que cette paresseuse puisse donner de si bons conseils. Anna semble prendre un vif intérêt à la discussion et être heureuse d'assumer des responsabilités. Quel bonheur que la classe ait refusé d'obéir à Elsie !

— Chut ! Voici Miranda ! chuchote Pat.

La porte s'ouvre. Aussitôt, toutes les élèves se mettent à parler du premier sujet qui leur passe par la tête. Miranda les regarde d'un air soupçonneux. On dit sûrement du mal d'elle. Quelles horribles filles ! Mais si elles lui jouent de nouveaux tours, elles le paieront !

chapitre 8

Miranda surprend la deuxième division...

Le soir, quand elles sont couchées, les jumelles parlent longtemps à voix basse. Leurs lits sont côte à côte et, quand elles chuchotent, personne ne les entend.

— Nous pouvons nous attendre à du grabuge, commence Pat. Je parie qu'Elsie ne se laissera pas déposséder de son titre sans protester. Elle trouvera un moyen de se venger d'Anna et de nous toutes.

— Je me demande si Miranda sera raisonnable maintenant, dit Isabelle. Elle nous a regardées d'un air méfiant et, quand Margaret lui a parlé, elle a à peine répondu.

— Cela ne m'étonne pas, réplique Pat dans un bâillement. Après tout, nous lui avons fait des tas de méchancetés, aujourd'hui. J'en ai honte. Je dois reconnaître que Miranda méritait une leçon. Tu n'as pas trouvé drôle qu'Ellen prenne la parole et avoue qu'elle était seule dans la salle de musique ? Elle est bizarre, cette fille-là !

— Pat, ce qu'a dit Margaret était tout à fait vrai, tu ne trouves pas ? interroge Isabelle en élevant la voix.

— Ne parles pas si fort ! chuchote Pat. Que veux-tu dire ?

— Eh bien, au début nous nous sommes conduites un peu comme Miranda, on commençait à nous détester. Nous le sentions. C'est une sensation affreuse. Demain, occupons-nous de Miranda et soyons gentilles avec elle. Saint-Clair nous a beaucoup aidées, à notre tour aidons Miranda. Il faudra faire aussi quelque chose pour Ellen. Toutes les deux seront pour ainsi dire nos protégées.

— Pat ! Isabelle ! Si vous ne cessez pas tout de suite de parler, demain je vous dénoncerai à Miss Jenks, dit brusquement la voix d'Elsie dans l'obscurité.

— Tu ne peux pas, tu n'es plus chef de classe, réplique Carlotta, sans laisser aux jumelles le temps de répondre.

— Tout est sens dessus dessous dans tes tiroirs. Toi aussi je te dénoncerai, réplique Elsie, furieuse.

— Ce ne sera que la quinzième fois, reprend Carlotta. Ne te gêne pas, mademoiselle la Chipie !

Un éclat de rire court dans le dortoir. Indignée, Elsie se redresse sur son lit.

— Carlotta, si tu oses me parler sur ce ton, espèce d'écuyère de cirque de bas étage... commence-t-elle.

Une protestation unanime s'élève.

— Toi alors ! s'écrie Bobbie. Quiconque traite Carlotta d'écuyère de bas étage mérite une bonne correction. Nous sommes toutes fières de Carlotta. Rappelle-toi qu'elle a sauvé Sadie des hommes qui l'enlevaient ! Tu ne lui arrives pas à la cheville, Elsie !

Folle de rage, Elsie oublie que l'extinction des feux a sonné et se met à hurler. Miss Jenks, qui vient voir si les élèves dorment, est étonnée d'entendre une voix gronder dans l'obscurité. Elle allume la lumière et reste immobile et silencieuse sur le seuil de la porte. Les élèves sont assises sur leur lit. Elsie se tait brusquement.

— Qui a parlé ? demande le professeur de sa voix froide.

Personne ne répond. Elsie garde le silence. Elle espère que Miss Jenks leur adressera une réprimande générale. Mais Miss Jenks attend.

— Qui est chargée de surveiller ce dortoir ? demande-t-elle. Vous, je suppose, Elsie, puisque vous êtes chef de classe de cette division. Eh bien, puisque la coupable n'a pas assez de courage pour se dénoncer, vous veillerez, Elsie, à ce qu'elle soit punie. Elle se couchera demain une heure plus tôt. C'est entendu ?

— Oui, Miss Jenks, répond Elsie d'une voix à peine perceptible.

Un rire étouffé, transformé aussitôt en toux, monte du lit de Carlotta.

— Vous avez pris froid, Carlotta, dit Miss Jenks en feignant la plus grande sollicitude. Demain matin, allez trouver Mme Rey, elle vous donnera une cuillerée de potion.

— Je serai complètement guérie demain matin, Miss Jenks, merci, s'empresse d'affirmer Carlotta.

— Bonne nuit, mes enfants, ajoute Miss Jenks.

Elle éteint la lumière et sort. Le bruit de ses pas s'éloigne. C'est aussitôt un concert de chuchotements et de rires.

— Elsie, tu te coucheras une heure plus tôt, demain ! s'écrie Carlotta.

Elsie s'allonge dans son lit, les joues brûlantes. Pourquoi n'a-t-elle pas avoué ? L'humiliation aurait été moins grande. En tout cas, elle n'acceptera pas la punition. Elle se bouche les oreilles avec ses doigts pour ne pas entendre ce que chuchotent ses compagnes. Elle n'ose pas leur ordonner de se taire et les menacer de sanctions. Leur gaieté redoublerait.

Toutes blâment Elsie, mais jugent l'incident très divertissant. Elles sont bien décidées à obliger Elsie à se coucher plus tôt, le lendemain soir. Le chef de classe a promis de punir la coupable, la coupable sera punie.

Le lendemain, à la table du déjeuner, les jumelles adressent un sourire à Miranda. Elle sourit en retour, surprise et satisfaite. Elle s'attend à d'autres niches et ces avances inattendues lui font grand plaisir. Après le déjeuner, Pat et Isabelle s'approchent d'elle.

— Tu sais ce qui s'est passé dans notre dortoir, hier soir ? demande Pat.

— Je sais seulement que Miss Jenks vous a grondées, répond Miranda. Pourquoi ?

Les jumelles racontent les événements de la veille. Miranda rit beaucoup.

— C'est très drôle, dit-elle. Quels mauvais tours me jouerez-vous aujourd'hui ? Hier,

quand vous avez commencé, je venais justement de décider de devenir raisonnable.

— C'est vrai ? demande Pat, ravie. N'aie pas
peur, nous ne te tourmenterons plus, mais toi,
de ton côté, fais un effort. À cause de toi, tous
les cours sont désorganisés. C'est ennuyeux.
Tu as peut-être des difficultés avec tes parents,
mais ce n'est pas une raison pour nous empêcher de travailler.

— Je le comprends maintenant, reconnaît
Miranda. Je me suis couverte de ridicule. Je
parie que vous serez bien contentes d'être
débarrassées de moi quand je partirai.

— Nous verrons cela plus tard, réplique
Isabelle. Tu le sais, notre division donne une
séance récréative, la semaine prochaine, au
profit de la Croix-Rouge. Chacune de nous
est mise à contribution. Pourrais-tu jouer du
violon ? Et peut-être du piano aussi ?

— Comment savez-vous que je joue ?
demande Miranda.

Elles sont interrompues par Miss Jenks qui
vient chercher la deuxième division pour
une promenade. Miranda se trouve à côté
de la timide Ellen. Rabat-Joie, qui se rappelle
la rencontre dans la salle de musique, n'ose
pas dire un mot. Miranda, elle aussi, se sent
gênée. Toutes les deux échangent à peine une

parole. Isabelle a fait quelques tentatives pour faire sortir Ellen de sa coquille, mais elle en a été pour ses frais.

Dès qu'elles en ont l'occasion, les jumelles apprennent à leurs camarades qu'elles ont demandé à Miranda de participer à la séance récréative de la semaine suivante. On a prié chaque division de donner un petit spectacle dont les bénéfices seront versés à la Croix-Rouge. Le tour de la deuxième est arrivé.

— A-t-elle accepté ? questionne Bobbie.

— Pas encore, mais nous mettrons son nom sur le programme, répond Pat. Je parie qu'elle acceptera. Elle était très gentille, ce matin !

Miranda retrouve ses livres dans son pupitre. Anna les a sortis de leur cachette et les a remis à leur place. Elsie prend un air désapprobateur, mais ne dit rien. Elle ne sait pas qui elle déteste le plus, Anna ou cette insolente de Carlotta.

Le soir, quand le programme de la représentation est mis au point, Isabelle interpelle Miranda.

— Eh là-bas, Miranda ! Je t'ai inscrite pour un morceau de violon et un morceau de piano. Que joueras-tu ? Donne-nous le titre des morceaux.

— Je n'ai pas mon violon ici, répond celle-ci d'un ton hésitant.

— Demande à ce qu'on te l'envoie, conseille Pat. Anna te prêtera le sien pour t'exercer cette semaine, n'est-ce pas, Anna ?

— Bien sûr. Je vais le chercher, tu verras si le son te plaît. Il est très bon.

Anna va chercher son violon dans la salle de musique. Elle ne sait pas que c'est sur cet instrument que Miranda a joué deux jours plus tôt. Elle le sort de l'étui et le place sur les genoux de sa camarade. Miranda prend l'archet dans ses doigts.

— Joue quelque chose ! supplie Isabelle.

Comme dans la salle de musique obscure, Miranda joue quelques-unes des mélodies qu'elle préfère. Elle oublie ses auditrices, elle oublie Saint-Clair, elle s'oublie elle-même. Elle a des dons éclatants et elle met tout son cœur dans la musique qu'elle aime.

Les élèves l'écoutent, charmées. Il y a, dans le collège, deux ou trois bonnes exécutantes, mais Miranda fait parler son instrument. Les notes s'élèvent pures et claires. Anna est stupéfaite que son violon puisse produire de tels sons. Quand Miranda s'arrête, toutes applaudissent avec enthousiasme.

— Tu es une vraie virtuose ! s'écrie Pat, traduisant le sentiment général. La semaine prochaine, à la séance, tu émerveilleras tout le monde. Maintenant, joue-nous du piano. Il le faut absolument !

Les joues rouges et les yeux brillants, Miranda jette un regard sur ses admiratrices. Elsie a été la seule à ne pas applaudir. Assise devant une table, elle lit et feint de ne rien entendre.

— Joue quelque chose au piano, Miranda ! insiste Pat.

Miranda s'approche du vieux piano qui occupe un coin de la salle de loisirs. Il est à la disposition des élèves qui, le plus souvent, jouent des airs de danse ou des chansons à la mode. Ce soir-là, il ne s'agit plus de quelconques rengaines.

Les longs doigts de Miranda courent sur les touches et un nocturne de Chopin emplit la salle. La plupart des élèves aiment la bonne musique et savent l'apprécier. Émue jusqu'au fond du cœur, Ellen ferme les yeux.

Les dernières notes retentissent. Les élèves applaudissent de nouveau.

— Joue ce morceau, la semaine prochaine, conseille Henriette. C'est magnifique ! Pendant les vacances, je l'ai entendu à la radio, mais tu le rends beaucoup mieux.

— Oh ! non, proteste Miranda, rouge d'embarras et de joie. C'est bien, inscrivez-le sur le programme. Si vous voulez vraiment que je joue aussi du violon, j'enverrai demain un télégramme pour qu'on m'expédie mon instrument. Celui d'Anna est très bon, mais je suis habituée au mien.

— Parfait ! approuve Isabelle. Dire que tu nous avais caché que tu étais si bonne musicienne ! Tu as des dons exceptionnels. Je voudrais bien être à ta place. Tu en as de la chance !

Miranda aide les jumelles à rédiger le programme. Les mots qu'Isabelle a prononcés résonnent encore à ses oreilles. « Tu as des dons exceptionnels ! » Elle se rappelle aussi ceux de Mme Theobald. « Les enfants difficiles ont souvent des dons cachés ou de grandes qualités. »

Personne, chez elle, ne la juge à sa juste valeur, sans cela on ne l'aurait pas mise en pension. Du moins, ses compagnes l'ont applaudie spontanément. Elle regrette de ne pas avoir accepté l'offre de son père qui voulait lui faire donner des leçons de musique, à Saint-Clair. C'est son seul don et, par obstination, elle a refusé de le cultiver.

— Je parie que tu pourrais passer n'importe quel examen du Conservatoire, déclare

Isabelle. Dans notre division, nous n'avons pas d'autre virtuose. Quel dommage que tu ne prennes pas de leçons ! Tu nous ferais honneur et les élèves des divisions supérieures seraient étonnées. Tu aurais les premiers prix de musique.

— J'enverrai ce télégramme demain, réplique Miranda qui, en s'appliquant beaucoup, copie un programme.

Pour la première fois du trimestre, elle se sent heureuse. C'est agréable de travailler amicalement avec des filles comme les jumelles, et délicieux de recevoir des compliments. Personne n'aime la musique chez elle, excepté son frère, et que de fois elle s'est moquée de lui quand elle le surprenait devant le piano ! À ce souvenir, Miranda a un remords. Elle aurait dû l'encourager.

« J'étais vraiment odieuse ! pense-t-elle. Je m'en rends compte, maintenant que je suis loin de la maison. Quand j'y retournerai, dans quelques semaines, je montrerai à mes parents, à mon frère et à ma sœur, que je ne suis pas une chipie. »

Ce soir-là, à huit heures, les élèves de deuxième division échangent des clins d'œil. Si Elsie se couche une heure plus tôt, c'est le moment. Mais cette dernière ne bouge pas.

Après le dîner, elle s'est installée pour lire sans adresser un mot à personne.

— C'est l'heure où les petites filles pas sages vont se coucher, lance Carlotta.

Elsie fait la sourde oreille.

— Quand on est punie, on va se coucher de bonne heure, renchérit Bobbie d'une voix sonore.

Toujours pas de réaction. Les élèves se regardent. De toute évidence, Elsie ne montera pas au dortoir avant les autres. La veille, elle n'a pas osé se dénoncer à Miss Jenks, maintenant elle ne subira pas sa punition. À la surprise générale, Anna prend la parole.

— Elsie, dit-elle, tu sais ce que tu as à faire. Si tu t'abstenais, nous aurions honte de toi.

— Tu n'as pas le droit de me parler sur ce ton, proteste Elsie en tournant une page.

— Si, affirme Anna, sans perdre son calme. Je suis chef de classe de la deuxième division. J'ai le droit de te donner des ordres.

— Ce n'est pas vrai ! proteste Elsie avec fureur. Je suis chef de classe, moi aussi.

— Non ! Non ! crient une douzaine de voix. Nous n'obéissons plus qu'à Anna. Nous ne voulons pas de toi comme chef de classe !

— Ce n'est pas à vous de prendre une décision de ce genre, dit Elsie, en promenant un regard autour d'elle.

— Tu as raison, s'exclame Pat. Miss Jenks décidera. Montez chez elle toutes les deux !

Pat a trouvé l'argument décisif. À aucun prix, Elsie ne voudrait s'en remettre à l'arbitrage de Miss Jenks. Ce serait beaucoup trop humiliant. Elle hésite. Les autres attendent. Elles savent qu'Elsie ne consentira jamais à accompagner Anna. Celle-ci se lève.

— Je n'irai pas chez Miss Jenks, prononce enfin Elsie à voix basse.

— C'est bien ce que je pensais, dit Anna en se rasseyant. Eh bien, ou c'est Miss Jenks qui décide, ou ce sont les élèves. Moi, cela m'est égal !

— Nous décidons… Nous avons déjà décidé, affirme Pat. Anna est notre chef de classe. Nous ne voulons pas d'Elsie. Tu n'as plus qu'à obéir aux ordres d'Anna et à aller te coucher, Elsie. Tu as bien mérité ta punition.

C'en est trop pour Elsie. Elle serre ses lèvres minces.

— Je ne monterai pas, déclare-t-elle. Je n'obéirai pas à Anna. C'est peut-être votre chef de classe, ce ne sera pas le mien !

— Bien, dit Carlotta en se levant. Venez, Bobbie, Margaret, les jumelles ! Saisissez Elsie, et forçons-la à monter. On ne désobéit pas aux ordres de Miss Jenks. Les élèves de troisième division vont en ouvrir des yeux en nous voyant entraîner Elsie !

— Non, non ! s'exclame cette dernière, consternée, en se levant d'un bond, car elle sait bien que Carlotta mettra ses menaces à exécution. Je monte, je monte ! Mais je vous déteste toutes !

Elle fond en larmes et, en sanglotant, se dirige vers la porte. Carlotta se rassit. Quand Elsie est partie, elle jette un coup d'œil à la ronde.

— Je n'avais pas du tout l'intention de la traîner jusqu'au dortoir, dit-elle. Mais j'étais sûre qu'elle partirait de son plein gré si je la menaçais.

— Demain, elle ne sera pas à prendre avec des pincettes, fait remarquer Bobbie.

Anna secoue la tête.

— Non, dit-elle. Je connais Elsie. Elle prendra des airs de martyre. Elle essaiera de nous inspirer de la pitié.

— Je crois que tu as raison, approuve Isabelle. Le mieux sera de ne pas avoir l'air de le remarquer.

— C'est, en effet, le meilleur moyen, dit Anna, en prenant son tricot. Que c'est fatigant d'être le seul chef de classe ! Tant de décisions à prendre ! Pat, il faudra que tu m'aides !

Les jumelles ont beaucoup changé, en un an. Pat surtout. Son jugement a mûri. Elle montre beaucoup de bon sens et sait prendre des décisions rapides. Ses compagnes la regardent comme un oracle et lui soumettent leurs difficultés. Si la molle Anna a le titre de chef de classe, ce sera probablement Pat qui assumera ce rôle dans les faits. Isabelle, plus timide, approuve sa sœur, mais prend peu d'initiatives.

chapitre 9

Anna va voir la directrice

Le lendemain matin, Miranda reparle du coup de fil à passer chez elle pour qu'on lui envoie son violon. Anna lui indique la marche à suivre.

— Il faut que tu demandes la permission à Mme Theobald, dit-elle. Puis tu iras en ville avec quelqu'un, après les cours. Je t'accompagnerai, si tu veux.

Miranda va donc demander la permission. Elle frappe à la porte de Mme Theobald et est invitée à entrer. La directrice lève la tête.

— Que voulez-vous, Miranda ?

— Me permettez-vous d'aller en ville pour appeler chez moi, madame ?

Mme Theobald prend un air sévère. Miranda se sent gênée.

— Pourquoi ce coup de fil ? demande la directrice. Vous savez que vous ne pouvez pas partir avant la mi-trimestre. Il est inutile d'inquiéter vos parents.

— Il ne s'agit pas de mon départ, proteste Miranda. C'est… c'est… eh bien, madame, je veux simplement demander à maman de m'envoyer mon violon, c'est tout.

La directrice paraît surprise.

— Votre violon ? Pourquoi ? Vous ne prenez pas de leçons de musique, que je sache.

— Non, répond Miranda. Je le regrette, mais j'ai refusé quand papa me l'a proposé. La deuxième division donne un spectacle pour la Croix-Rouge, la semaine prochaine. J'ai promis de jouer. J'aimerais avoir mon violon. Il est très bon.

Mme Theobald regarde Miranda.

— Ainsi vous avez un don, Miranda, fait-elle remarquer. Vous vous rappelez ce que je vous ai dit ? Il y a peut-être du bon en vous, malgré tout.

Miranda rougit. Elle se balance, tantôt sur un pied, tantôt sur l'autre. Tous les professeurs, sûrement, ont dit du mal d'elle à la directrice.

— Je ne sais si je dois vous donner la permission de demander votre violon, reprend Mme Theobald. Il paraît que vous mettez le désordre dans les cours. Vous empêchez les autres de travailler. Comment puis-je savoir que vous ne chercherez pas à gâcher la séance ?

— Non, je vous le promets ! s'écrie Miranda. Vous ne me croirez peut-être pas, mais j'ai décidé de changer de conduite. J'en ai assez d'être la bête noire du collège.

— Hum ! fait Mme Theobald. J'ai quelques raisons de douter de votre sincérité. Qui me dit que ce changement de conduite n'est pas dicté par l'égoïsme ou par l'intérêt ? Avant de vous donner ma réponse, il faut que je voie vos professeurs. Vous pouvez vous retirer.

Ces paroles consternent Miranda. Elle est si fière de ses bonnes résolutions ! Et elle a honte de sa conduite passée. Elle se repent sincèrement. Elle ouvre la bouche pour se disculper, mais le visage sévère de Mme Theobald l'effraie. Elle sort sans un mot.

Mme Theobald réfléchit quelques minutes, puis appuie sur un bouton de sonnette.

— Demandez Miss Jenks de venir me voir, dit-elle à la femme de service. J'ai un mot à lui dire.

Miss Jenks répond aussitôt à cette convocation.

— Asseyez-vous, propose Mme Theobald. Je veux vous parler de Miranda. Jusqu'à présent, je n'ai eu sur elle que de mauvais rapports. N'avez-vous remarqué aucun progrès ?

— Si, répond aussitôt Miss Jenks. Elle semble s'acclimater. Elle est beaucoup moins arrogante. Je viens de la voir, elle avait les yeux rouges comme si elle avait pleuré.

— C'est possible, déclare Mme Theobald.

Elle raconte à Miss Jenks la conversation qu'elle vient d'avoir avec Miranda.

— J'aimerais savoir si elle a brusquement changé pour de bonnes raisons ou de mauvaises. Les chefs de classe pourraient peut-être donner des indications. Envoyez-les-moi, voulez-vous.

— Un désaccord s'est élevé entre les deux chefs de classe de ma division, explique Miss Jenks. Elsie ne s'entend pas bien avec les élèves qui, l'année dernière, étaient en première, mais Anna a l'air de prendre son rôle au sérieux. Je vais vous les envoyer. Peut-être pourront-elles vous en dire davantage sur Miranda. En ce qui me concerne, je pense que nous pourrions tenter la chance et lui permettre de demander son violon.

Elle se met à la recherche d'Anna et d'Elsie. Toutes les deux sont dans la salle de récréation. Quand la porte livre passage à Miss Jenks, les élèves se lèvent et cessent de parler. Pat éteint la radio.

— Mme Theobald demande les deux chefs de classe, dit Miss Jenks de sa voix froide. Elsie et Anna, montez tout de suite, je vous prie.

Elle sort. Il y a un silence. Anna se dresse. Elsie en fait autant. Aussi rapide que l'éclair, Carlotta l'oblige à se rasseoir.

— Tu n'es plus chef de classe, Elsie, tu le sais. Tu n'iras pas chez Mme Theobald.

— Ne dis pas de bêtises ! réplique Elsie en s'efforçant de repousser Carlotta. Il faut que je monte. Je ne peux pas dire à Mme Theobald que je ne suis plus chef de classe.

— Anna le lui apprendra, répond Pat. C'est malheureux, Elsie, mais nous sommes toutes du même avis. Nous refusons d'obéir à tes ordres. Tu n'as pas voulu que Miss Jenks prenne la décision, tu as accepté la nôtre et tu dois t'y soumettre. Anna ira seule.

— Non, non ! proteste Elsie en larmes. Que va penser Mme Theobald ?

— Tu aurais dû te le demander plus tôt, reprend Pat. Anna, monte. Parle le moins possible d'Elsie, mais fais comprendre que tu es seule chef de classe de la deuxième division.

Anna sort. Elsie comprend que les élèves la retiendront de force si elle essaie de la suivre. Elle retombe sur sa chaise. De grosses larmes coulent sur ses joues. Elle espère que ses camarades auront pitié d'elle. Elle se trompe. Les élèves se remettent à parler gaiement comme si elle n'existait pas. C'est samedi matin, et, à part une heure d'étude, elles ont tout leur temps libre. Miranda n'est pas là. Les paroles de la directrice l'ont bouleversée. Honteuse de ses larmes, elle a couru aux toilettes pour se passer de l'eau sur le visage. Elle en sort juste au moment où Anna passe dans le corridor.

— Tiens, tu es là ! dit Anna. Tu as la permission de demander ton violon ? Je t'accompagnerai à la poste, si tu veux.

— Non, je n'ai pas la permission, répond tristement Miranda. Mme Theobald a été très dure envers moi. Elle croit que mon changement a pour motif l'égoïsme et l'intérêt. Ce n'est pas vrai. J'ai honte de moi. C'est terrible, ces mauvais tours que vous m'avez joués, juste le jour où j'avais décidé de devenir gentille. À quoi bon faire un effort ? Tout le monde est contre moi, même la directrice. Je ne jouerai pas au concert.

 100

Anna dévisage Miranda.

— Je ne peux pas m'attarder maintenant, dit-elle. Mme Theobald m'attend. Après, nous verrons. Pat nous donnera un conseil. Je suis désolée, Miranda. Sincèrement désolée. À tout à l'heure.

Elle continue sa route et frappe à la porte de Mme Theobald.

— Entrez, dit la voix neutre de la directrice.

Anna entre, un peu gênée. Mme Theobald est sévère mais juste, aussi les élèves, intimidées par sa sagesse et sa dignité, n'entrent chez elle qu'en tremblant.

— Bonjour, Anna, dit Mme Theobald. Où est Elsie ?

— Elsie n'est plus chef de classe, madame Theobald, répond gauchement Anna.

Mme Theobald la regarde avec surprise.

— Je ne savais pas. Pourquoi ?

— Nous avons toutes décidé qu'elle ne remplissait pas bien son rôle, répond Anna qui cherche à ne pas accabler Elsie.

— Miss Jenks n'en sait rien, reprend la directrice. Pourquoi ne lui avez-vous pas demandé son avis ?

— Elsie n'a pas voulu. Elle a préféré accepter notre décision. C'est difficile à expliquer sans rapporter, madame Theobald…

— Henriette et les jumelles sont-elles d'accord ? demande la directrice qui connaît le bon sens de ces trois élèves.

— Oui, madame, répond Anna. Je ne tenais pas à être seul chef de classe. J'en ai peur, je suis trop paresseuse. Mais, puisque les autres veulent que je prenne toute la responsabilité, je ne peux pas me dérober.

— Non, bien sûr, approuve Mme Theobald qui sent qu'Anna subit une lente transformation. Je ne vous poserai plus de questions, Anna. La deuxième division a sans doute eu raison. Espérons qu'Elsie tirera profit de son échec. Quant à vous, je vois avec plaisir que vous avez le courage de vous charger de nouveaux devoirs.

Anna rougit. Les hautes fonctions ont leurs inconvénients mais aussi leurs récompenses. Se sentir quelqu'un n'est pas la moindre.

— Anna, je voulais vous voir pour vous interroger au sujet de Miranda, reprend Mme Theobald. J'ai l'habitude de causer intimement avec les chefs de classe. Quelle est votre opinion de Miranda, bonne ou mauvaise ? Dites-moi tout ce qui peut m'aider à la mieux connaître. Vous savez la raison pour laquelle elle a été envoyée ici, elle l'a criée sur les toits.

Anna parle rarement pour ne rien dire. Elle résume en peu de mots la situation.

— Miranda a été insupportable et la deuxième division l'en a punie. Elle a honte d'elle maintenant et veut se racheter à nos yeux. Pouvez-vous lui donner la permission de faire venir son violon ?

— Très bien, réplique Mme Theobald en souriant. Voulez-vous, en votre qualité de chef de classe, lui dire que je ne doute plus de ses bonnes résolutions et qu'elle peut envoyer son télégramme. Dites-lui aussi que je serai contente de l'entendre jouer, la semaine prochaine.

— Oui, madame Theobald, répond Anna. Merci.

Elle sort de la pièce, toute joyeuse. Pour la première fois de sa vie, elle a de l'importance. La directrice se range à son avis. Pour mériter l'estime de Mme Theobald, elle est prête à faire de nouveaux efforts.

Elle se met à la recherche de Miranda. Elle la trouve dans la salle de loisirs, les yeux encore rouges, penchée sur un livre.

— Miranda, allons vite à la poste envoyer ton télégramme, annonce Anna. Mme Theobald t'en donne la permission. Elle espère que tu joueras à la séance.

Miranda se lève d'un bond, rouge de plaisir. Pour elle qui avait perdu tout espoir, quelle bonne surprise !

— Anna, c'est grâce à toi que Mme Theobald me permet de téléphoner chez moi. Merci beaucoup ! C'est chic de ta part !

— Ce n'est pas tout à fait grâce à moi, riposte Anna. Dépêchons-nous. Va mettre ton manteau, nous n'avons pas beaucoup de temps.

Elles courent à la poste. Le coup de fil est passé et fait sensation.

— Elle veut son violon ! s'écrie la mère de Miranda. C'est donc qu'elle s'habitue un peu. Je suis si contente !

Le violon est emballé et immédiatement expédié. Il arrive le lundi de la semaine suivante. Miranda le reçoit avec des transports de joie. Ses camarades vont voir de quoi elle est capable !

« Mme Theobald verra que je suis bonne à quelque chose, pense Miranda. Si elle m'applaudissait, que je serais heureuse ! »

chapitre 10

Ellen a des dons, elle aussi

La deuxième division est très occupée à préparer le spectacle. Les places seront payantes. Toutes les élèves de Saint-Clair, même les grandes, ont promis d'y assister. Les professeurs aussi.

Les élèves doivent tout faire par elles-mêmes. Elles préparent les programmes et les billets. Isabelle peint une belle affiche en couleurs. Elle la place dans le grand hall où tout le monde pourra la voir. La séance aura lieu dans le gymnase où se trouve une belle estrade. Une vive agitation règne en deuxième division. Mam'zelle s'en plaint amèrement. À ses yeux, rien n'est plus important que les leçons de français.

— Isabelle ! Patricia ! Vous n'avez donc pas dormi, la nuit dernière, que vous rêvez, ce matin ? Quelle est la question que je viens de poser ?

Les jumelles reviennent brusquement à la réalité. Ni l'une ni l'autre n'a entendu la question. Carlotta se hâte de chuchoter :

— Mam'zelle a dit : « Qui a vu mes lunettes ? »

Ce n'est pas du tout cela, la petite espiègle le sait bien. Les jumelles tombent aussitôt dans le piège. Elles regardent Mam'zelle qui a ses lunettes perchées comme d'habitude sur le bout du nez.

— Eh bien ! insiste Mam'zelle. Qu'ai-je demandé ?

— Vous avez demandé si nous avions vu vos lunettes, répond Pat. Elles sont sur votre nez, Mam'zelle.

Il y a un grand éclat de rire. Mam'zelle frappe sur son bureau avec colère.

— Ah ! Vous êtes abominables ! crie-t-elle. Insupportables !

Les jumelles jettent des regards furieux à Carlotta qui rit aux larmes.

— Attends la récréation ! chuchote Pat.

— Taisez-vous ! ordonne Mam'zelle. Patricia, Isabelle, à quoi pensiez-vous quand j'ai interrogé la classe ? Dites la vérité !

— Je pensais à la séance de samedi, répond Pat. Je suis désolée, mes pensées se sont égarées.

— Les miennes aussi, avoue Isabelle.

— Si elles s'égarent encore une fois, je n'assisterai pas au spectacle, déclare Mam'zelle.

Des cris de détresse accueillent cette menace.

— Si vous ne venez pas, nous ne donnerons pas de spectacle.

— Il faut que vous veniez, Mam'zelle ! Personne n'applaudit plus fort que vous.

— Je viendrai si vous faites un bon devoir, promet Mam'zelle en se radoucissant. Vous m'écrirez deux pages sur vos projets pour la représentation. Sans une faute ! Cela me fera grand plaisir. Ce sera votre devoir pour demain.

Des gémissements accueillent cette décision. Ce devoir sera horriblement difficile. Mais Mam'zelle est de meilleure humeur, c'est l'essentiel.

Deux élèves ne participent pas au spectacle. Elsie a refusé et a annoncé qu'elle n'y assistera pas non plus. Personne n'a demandé l'aide de Rabat-Joie. Isabelle elle-même a conclu qu'elle n'a certainement aucun talent et que c'est plus charitable de ne pas la solliciter.

Ellen est à la fois vexée et contente. Une corvée de moins ! Elle se replie de plus en plus sur elle-même, ne parle que si on lui adresse la parole, est si effacée que les professeurs s'aperçoivent à peine de sa présence. Isabelle, découragée, n'ose plus aller vers elle. Elle ne s'anime un peu que pendant le cours de Miss Quentin. Celle-ci ne lui a jamais rien donné à réciter. Comme tout le monde, elle la croit incapable de se distinguer en une matière quelconque.

Mais Ellen oublie son chagrin en regardant Bobbie qui, dans le rôle d'un roi, se pavane dans la classe, ou Carlotta qui se transforme en bouffon.

Alice, elle aussi, aime beaucoup les cours de Miss Quentin et ne travaille que pour le professeur de diction. Elle est jolie et gracieuse. Les rôles de princesses lui sont attribués, elle reçoit des éloges. Son admiration pour Miss Quentin grandit de jour en jour.

Les préparatifs du spectacle s'intensifient. Le numéro de Doris en sera le clou. Elle a l'intention d'imiter d'abord Mam'zelle dont les manies font la joie de la classe ; puis Clara, la cuisinière, grosse femme enjouée, que les élèves aiment beaucoup ; elle imitera enfin Mme Rey et feindra de distribuer conseils et medicaments aux élèves.

— Doris, tu es impayable ! s'écrie Bobbie au cours d'une répétition. Tu devrais faire du théâtre.

— Je préfère être infirmière, répond Doris.

— Alors tu guériras les malades en les faisant rire, décrète Pat.

Chacune apporte sa contribution. Elles récitent, jouent du piano ou du violon, chantent ou dansent, toutes, excepté Elsie et Ellen. Carlotta donne un échantillon de son talent pour les acrobaties. Elle sait faire la roue, le saut périlleux, marcher sur les mains et bien d'autres choses encore.

— Toi, Doris et Miranda, vous serez les vedettes de la soirée, dit Pat.

Isabelle et elle réciteront un dialogue comique, mais elles ne s'attendent pas à un grand succès. Bobbie fera des tours de magie qu'elle accompagnera d'un vrai boniment de charlatan.

— Je parie que Miranda sera aussi très applaudie, fait remarquer Margaret, après une répétition où Miranda avait joué plusieurs morceaux. Quel bonheur que nous ayons découvert son talent !

— À ce propos, comment y êtes-vous arrivées ? interroge Miranda, en enfermant son violon dans l'étui. Cela m'intrigue. Je n'avais dit à personne que j'étais musicienne.

— Quelqu'un savait, explique Pat en se retournant pour s'assurer que Rabat-Joie n'est pas dans la salle. C'est Ellen qui nous l'a révélé.

— Ellen ! répète Miranda, et elle se rappelle brusquement leur rencontre dans la salle de musique obscure. Mais bien sûr ! Elle m'a entendue, un soir.

— Vous étiez toutes les deux dans l'obscurité, paraît-il, poursuit Pat. Drôle de fille ! Que faisait-elle, toute seule, dans cette salle ? Elle a toujours l'air accablée de douleur. Elle ne parle à personne. Isabelle a essayé de la dérider. Elle n'a eu aucun succès. Depuis, nous n'osons plus l'approcher pour essayer de l'égayer.

— À moi, elle m'a fait des confidences, déclare Miranda.

— Vraiment ? s'écrie Bobbie. Que t'a-t-elle dit ?

— Sa mère est à l'hôpital, très malade, peut-être perdue, explique Miranda. Ellen n'a que sa mère. Son père est mort et elle n'a ni frère ni sœur. Toutes les deux s'adorent. Elles ne s'étaient jamais séparées, même pour une nuit. Ellen est horriblement malheureuse, sa maman lui manque tant. Elle a toujours peur d'apprendre de mauvaises nouvelles.

Les élèves l'écoutent en silence, peinées et repentantes de leurs moqueries. Pauvre Rabat-Joie ! Son chagrin n'est que trop réel. Toutes, à part Carlotta, ont une mère qu'elles aiment, un père, et la plupart des frères et des sœurs. Anna, qui manque d'imagination, a elle-même l'intuition de l'inquiétude qui doit ronger Ellen, nuit et jour.

— Pourquoi ne nous l'as-tu pas dit plus tôt ? demande Bobbie.

— Je l'avais oublié, répond Miranda.

— Tu aurais dû nous avertir tout de suite, renchérit Pat d'un ton de reproche. Nous lui aurions parlé de sa mère. Elle n'a pas beaucoup d'énergie et nous ne l'avons guère encouragée. Tu as eu grand tort de ne pas nous parler.

Bourrelée de remords, Miranda s'étonne d'avoir oublié les confidences d'Ellen. Elle était si préoccupée par ses propres soucis et, quand elle a trouvé des amies, elle a été si heureuse qu'elle n'a pas eu une pensée pour la pauvre Rabat-Joie.

— Je le regrette, reconnaît-elle. J'aurais dû vous mettre au courant, en effet. Mais, après tout, Ellen m'en aurait peut-être voulu de répéter ses confidences. Ne lui dites rien. Comblons-la simplement de gentillesses.

La deuxième division reçoit ce conseil en silence. Miranda sent qu'on lui en veut de son indifférence et de son égoïsme. Elle se retire avec son violon.

« Je me demande où est Ellen, pense-t-elle. Je vais la chercher pour lui demander des nouvelles de sa mère. Cela lui fera peut-être plaisir. »

Mais Ellen reste introuvable.

« Il faut bien qu'elle soit quelque part, se dit Miranda. Peut-être au troisième étage. Je l'ai vue descendre de là, l'autre jour. Je me demande, d'ailleurs, ce qu'elle y faisait. »

Elle monte l'escalier. Au troisième étage se trouvent des mansardes où l'on enferme les malles et les valises des élèves. Un rayon de lumière filtre sous une porte et une voix sort de la pièce.

Une voix énergique et grave qui ne ressemble pas du tout à celle d'Ellen. Miranda écoute avec surprise et reconnaît un passage de *La Tempête*, le drame de Shakespeare que la deuxième division étudie ce trimestre-ci avec Miss Jenks.

« Ce n'est pas Ellen, pense Miranda. Qui est-ce donc ? Tiens ! Maintenant une voix différente ! Il doit y avoir plusieurs personnes. Mais qui ? Seules les élèves de deuxième étudient *La Tempête* en ce moment et toutes, sauf Ellen, étaient, ce soir, à la répétition. »

Une troisième voix s'élève, douce et féminine. Miranda ne peut réprimer sa curiosité. Elle ouvre la porte. La voix s'arrête net. Miranda regarde autour d'elle, s'attendant à voir trois ou quatre personnes. Mais il n'y en a qu'une seule, Ellen !

— Ce n'est que toi ! s'écrie Miranda stupéfaite. Je croyais que vous étiez plusieurs. J'avais entendu toutes sortes de voix. C'était toi ?

— Oui, répond Ellen. Va-t'en. Je ne peux même pas avoir une minute de tranquillité !

— Tu connais toute la pièce par cœur ? demande Miranda en entrant et voyant sa camarade sans texte à la main.

— Oui, rétorque Ellen. J'ai toujours aimé déclamer. Mais Miss Quentin ne me fait jamais réciter. Je pourrais jouer n'importe quel rôle. Je les sais. Tu veux que j'interprète celui de Bobbie dans la pièce que vous préparez avec Miss Quentin ?

Et devant Miranda, elle se transforme en un clin d'œil. Rabat-Joie a disparu. À sa place se tient un roi qui a une voix sonore, un visage farouche, un caractère énergique. C'est à peine croyable.

Miranda reste bouche bée. Sa surprise et son admiration sont si évidente qu'Ellen se métamorphose de nouveau et devient un bouffon. C'est le rôle de Carlotta, mais elle le joue deux fois mieux que la jeune Espagnole. Ses éclats de voix remplissent la mansarde.

— Ellen, tu es phénoménale ! s'écrie Miranda. Viens te montrer aux autres. Viens ! Descendons tout de suite. Je n'ai jamais rien vu de pareil ! Tu joues comme une grande actrice. Qui l'aurait imaginé ? Tu es si timide et ta voix est si faible ! Et te voilà tantôt roi, tantôt bouffon. Dépêchons-nous de descendre.

— Non ! proteste Ellen qui redevient elle-même et semble rapetisser.

— Ellen ! insiste Miranda, en se rappelant pourquoi elle s'est mise à la recherche de sa compagne, Ellen, comment va ta mère ? J'espère que tu as de bonnes nouvelles ?

— C'est toujours pareil, répond Ellen. Maman ne peut pas m'écrire, elle est trop malade. Si je recevais un mot d'elle, je serais si heureuse ! C'est une infirmière qui s'en charge.

— Mais elle lit tes lettres ? questionne Miranda.

— Bien sûr. Je lui écris tous les jours pour lui dire combien elle me manque et combien je suis malheureuse loin d'elle.

— Mais c'est stupide ! s'exclame Miranda.

— Que veux-tu dire ? interroge Ellen, indignée. Il faut bien que maman le sache.

— Elle serait beaucoup plus contente de savoir que tu t'habitues ici, explique Miranda. Elle s'inquiète pour toi. C'est très mauvais, dans son état de santé.

— Non, proteste Ellen, les yeux pleins de larmes. Si elle imaginait que je suis heureuse, elle penserait que je l'oublie.

— Je crois que tu as tort, Ellen, reprend Miranda qui regrette de ne pas avoir la sagesse de Pat ou d'Henriette pour persuader Ellen. Tu ne veux pas que ta mère soit fière de toi ? C'est de la lâcheté de passer ton temps à pleurer et à gémir.

— Tu es odieuse ! s'écrie Ellen. Va-t'en ! Je ne descendrai pas avec toi. Je te défends de trahir mon secret. Tu n'avais pas le droit de m'espionner. Va-t'en !

Miranda, qui ne l'avait jamais vue en colère, ne sait que dire ou que faire. Un chose est certaine : son intervention n'a fait aucun bien à Ellen.

« Je ne sais pas aider les gens comme Pat, Henriette ou Isabelle, pense-t-elle, en descendant l'escalier. J'ai beaucoup à apprendre. Quand je retournerai à la maison, j'essaierai de faire mieux. »

Elle entre dans la bibliothèque pour prendre un livre. Mais elle sent que même le plus passionnant des ouvrages ne pourra l'intéresser. Une idée lui vient : si elle ne peut rien pour Ellen, une autre réussira peut-être mieux. Pat, par exemple, qui est si raisonnable. Ou Isabelle. Ou Henriette. Ou même Bobbie. Elle leur racontera ce qui s'est passé et les laissera agir à sa place. Miranda, si arrogante jusque-là, a été rappelée à la modestie.

Elle sort de la bibliothèque et se met à la recherche de Pat. Elle a la chance de la découvrir dans la salle de musique. Les jumelles, Bobbie, Margaret et Henriette répètent leurs numéros pour la représentation. Quelle chance de les trouver toutes les cinq !

COLLÈGE
SAINT-CLAIR
PENSION DE JEUNES FILLES

chapitre 11

Grande déception pour la deuxième division

— Je peux vous interrompre un moment ? demande Miranda.

— Bien sûr, répond Bobbie. Que veux-tu ?

— Il s'agit d'Ellen.

Elle raconte qu'elle a trouvé Ellen en train de déclamer *La Tempête* dans une mansarde. Elle répète leur conversation et avoue qu'au lieu d'aider Ellen elle l'a simplement irritée.

— Je crois, Miranda, que tu as donné à Ellen un très bon conseil, déclare Pat. Elle doit cesser de se plaindre à sa mère. Il faut qu'elle fasse appel à tout son courage. Tu as eu raison de lui dire que sa mère serait plus contente si elle savait que sa fille s'habitue à Saint-Clair.

— Je suis contente que tu m'approuves, s'écrie Miranda. J'avais peur de m'être trompée. Jusqu'ici je n'ai pensé qu'à moi. Ellen m'a bien recommandé de ne pas révéler son secret à tout le monde.

— Tu n'as parlé qu'à cinq d'entre nous, riposte Pat. Nous comprenons parfaitement. Mais puisque ce secret, c'est toi qui l'as surpris, il faut que ce soit toi qui agisses auprès d'Ellen.

— Oui, conviennent les autres en chœur.

— Oh ! non, proteste Miranda, affolée. Je suis si égoïste et si maladroite ! Je n'ai jamais rien fait pour les autres.

— Il est temps que tu commences, déclare fermement Pat. Nous t'avons aidée, Miranda, quand tu en avais besoin. Il faut que tu en fasses autant pour Ellen. Sois gentille pour elle. Encourage-la. Si tu peux, décide-la à nous réciter une scène de drame. Nous applaudirons. Il faut qu'elle participe à la séance récréative.

— Impossible ! C'est après-demain et les programmes sont prêts, riposte Isabelle. Nous n'avons pas le temps de les refaire.

— Je ne crois pas qu'elle acceptera de se produire en public, fait remarquer Miranda. Merci de tes conseils, Pat. J'essaierai de les suivre, mais j'ai bien peur de ne pas réussir.

118

Ce n'est pas sans crainte que Miranda se prépare à remplir sa mission. Elle a peur de manquer de tact et d'effaroucher la timide Ellen. Elle préférerait s'en remettre à Pat. Cependant, puisqu'elle a promis, elle n'a plus qu'à s'exécuter.

Le lendemain, elle accoste Ellen qui ne cache pas son mécontentement.

— Ellen, je ne veux pas t'ennuyer, commence Miranda. Je sais que je suis maladroite, mais j'ai beaucoup de sympathie pour toi. J'aimerais te le prouver.

— J'étais en colère, hier, réplique Ellen, touchée malgré elle par la sincérité de Miranda. Ce n'est pas agréable d'être traitée de lâche. Mais j'ai réfléchi et, en un sens, je crois que tu as raison. Je ne devrais pas me plaindre sans cesse à maman. Je la tourmente au lieu de la réconforter.

— En effet, approuve Miranda, heureuse de cette première victoire. Je crois qu'elle serait très contente si elle savait que tu as participé à la séance et que tout le monde t'a applaudie. Je voudrais que tu récites quelque chose devant Pat et les autres.

Ellen hésite. Oui, sa mère se réjouira si elle remporte un succès. Mais affronter le jugement de ses compagnes, quelle épreuve ! Et à la séance, le trac lui serrera la gorge, elle ne pourra prononcer un mot.

— Fais un effort, Ellen, insiste Miranda. Si tu montres ton talent, si tu déclames un poème samedi, j'écrirai moi-même à ta mère pour le lui annoncer. Imagine sa joie !

Profondément émue, Ellen refoule les larmes qui montent à ses yeux.

— Merci, Miranda, dit-elle d'une voix étranglée. Moi qui te croyais égoïste et froide ! Je me trompais bien. Si tu acceptes d'être mon amie, je suivrai tous tes conseils.

— Je pars à la mi-trimestre, tu le sais, réplique Miranda. C'est la semaine prochaine. Je ne puis donc pas être ton amie. Je le regrette.

— C'est bien ma chance ! soupire Ellen. Je vais me retrouver toute seule.

— Ne recommence pas tes jérémiades ! s'écrie Miranda, impatiente. D'accord. Je serai ton amie jusqu'à mon départ, mais tu vas être raisonnable et tu montreras aux autres tes talents d'actrice.

C'est bon d'inspirer tant d'admiration. Ellen a un grand élan de reconnaissance. Elle est faible et timide. Miranda est énergique et décidée, bien qu'elle transforme souvent ces qualités en défauts.

120

Ellen refoule les larmes qui montent à ses yeux.

— Je ferai ce que tu veux, déclare Ellen.

— Après le goûter, dans la salle de récréation, tu nous donneras un échantillon de ce que tu sais faire, ordonne Miranda. J'applaudirai à la fin, tu n'as pas besoin d'avoir peur. Tu réciteras peut-être quelque chose, samedi. Isabelle a dit que l'on ne pouvait pas refaire les programmes, mais je pense que cela peut s'arranger.

Fière d'avoir convaincu Ellen, Miranda avertit Pat, Henriette, Isabelle et les autres. En sortant du réfectoire, elles courent à la salle de loisirs, impatientes d'entendre Ellen.

C'est une révélation. Ellen a choisi un passage de *La Tempête*. Elle commence d'une voix étranglée et tremblante, mais au bout de quelques minutes, elle oublie son auditoire et prend de l'assurance. Rabat-Joie a disparu. À sa place se tient Ariel, le tendre génie aérien.

Encouragée par les applaudissements, elle est tour à tour différents personnages, Lady Macbeth, Opheline, Cordelia. Sa mère et elle, avant leur séparation, passaient leurs soirées à lire les œuvres du grand poète et Ellen en connaît, par cœur, des scènes entières. Son père était un excellent acteur et il a légué son talent à sa fille. Enfin, à bout de souffle, elle s'arrête et redevient une timide écolière. Ses camarades lui expriment leurs éloges.

— Cachottière ! Pourquoi ne nous avais-tu jamais rien récité ? s'écrie Pat. Samedi, c'est toi qui seras la plus applaudie. Il faut absolument la mettre au programme. Est-ce impossible ?

— Oh ! non, je vous en prie ! supplie Ellen. Je ne pourrai pas réciter devant tout le collège. Encore si j'avais eu le temps de m'habituer à cette idée ! Mais demain, non. Je m'évanouirai sur la scène ! Je vous en prie !

— Nous ne pouvons pas te forcer, dit Pat. Par hasard, n'aurais-tu pas d'autres talents cachés ? La peinture ? Ou le calcul mental ?

Ellen éclate de rire. C'est la première fois qu'elle rit depuis son arrivée à Saint-Clair.

— Je joue bien au hockey, dit-elle. C'est tout.

— Tu n'as pourtant pas brillé, pendant les derniers matchs, fait remarquer Bobbie.

— Je sais. Je ne me donnais pas de peine, réplique Ellen. Je me moquais du résultat et je ne courais pas assez vite. C'est pour cela que Miss Wilton m'a donné un but à garder. Elle croyait que je n'étais pas bonne à autre chose. Mais je sais bien jouer quand je veux. J'étais dans la meilleure équipe de mon école.

— Parfait ! réagit Miranda. Tu nous feras gagner un championnat et tu l'écriras à ta mère.

— J'ai été peinée d'apprendre que ta maman était malade, Ellen, dit Pat. Nous faisons, toutes, des vœux pour sa guérison.

Ce soir-là, Ellen se couche, la joie au cœur. Elle a une amie ! Elle a été applaudie ! Elle a confié son chagrin, et toutes ses camarades y ont pris part. L'avenir est moins sombre. Pour la première fois, depuis son arrivée à Saint-Clair, elle s'endort sans mouiller son oreiller de larmes.

D'autres élèves, cependant, ne trouvent pas le sommeil. Pat, Isabelle, Doris, Bobbie et Carlotta se tournent et se retournent dans leur lit. Elles ont mal à la gorge. Elles toussent et éternuent. Elles ont pris froid. C'est bien le moment – la veille de la fête !

« Je ne serai pas capable d'articuler un mot, pense Doris. Je ne pourrai faire mon numéro. Quelle malchance ! Il était si réussi ! »

Le lendemain matin, toutes les cinq se présentent à l'infirmerie.

— Vous avez la grippe qui a couru dans tout le collège, déclare Mme Rey, quand elle a pris leur température. Vous avez toutes de la fièvre. Vite au lit !

— Mais, madame Rey, c'est la séance récréative ce soir ! proteste Bobbie d'une voix rauque. Nous ne pouvons pas nous coucher.

— Dépêchez-vous d'obéir ! dit Mme Rey, sans écouter Bobbie. Vous avez pris froid l'autre jour, en regardant la partie de hockey. Bobbie, êtes-vous sourde ? Au lit ! Ne vous le faites pas dire deux fois !

Dans une discussion avec Mme Rey, on n'a jamais le dessus. Elle a vu défiler des générations d'élèves et, à son avis, le lit, la chaleur, quelques potions guérissent la plupart des maux. Aussi, séance ou non, malgré leurs lamentations, les cinq filles doivent occuper les lits de l'infirmerie.

Il ne faut pas longtemps au reste de la division pour prendre une décision.

— Nous ne pouvons pas donner le concert avec cinq exécutantes en moins, déclare Henriette.

— Doris était une de nos vedettes, approuve Margaret.

— Et Bobbie ! Et Carlotta ! renchérit Henriette. Sans ces trois-là, ce serait tout à fait raté. Il faut remettre la représentation à huit jours.

— Nous ne le pouvons pas, avance Anna. La troisième division donnera la sienne, ce samedi-là.

124

— Alors, retardons de quinze jours, reprend Henriette. Les malades seront bien guéries. J'espère que, d'ici là, personne d'autre ne se mettra à éternuer ou à tousser. Si cela vous arrive, pour l'amour du ciel, courez vite à l'infirmerie et soignez-vous pour être d'attaque dans quinze jours !

— Ellen aura le temps de s'exercer, fait remarquer Catherine. Cela nous fera un numéro de plus.

— Bravo ! s'écrie Anna, les yeux fixés sur Ellen. Ce sera parfait. Tu auras quinze jours pour répéter, Ellen.

Ellen a un grand sourire. La perspective de prendre part au spectacle l'enchante, malgré son trac. On lui promet des applaudissements. Que de choses elle aura à raconter à sa mère, dans ses prochaines lettres ! Et tout cela, elle le doit à Miranda. Éperdue de reconnaissance, elle s'approche de son amie et l'embrasse sur la joue.

— Dommage que les jumelles, Bobbie, Carlotta et Doris soient malades ! dit-elle. Mais la séance est simplement remise. Je me demande ce que je réciterai. J'applaudirai quand ton tour viendra, Miranda. Tu nous surpasseras toutes !

Miranda ne sourit pas et reste froide et lointaine. Ellen se demande si elle l'a fâchée.

— Combien de morceaux joueras-tu ? reprend-elle. Si tu veux, je tournerai les pages pour toi.

— Je ne jouerai rien du tout, réplique Miranda d'une voix étrange. Tu sais que je rentre chez moi à la mi-trimestre. Dans quinze jours, je serai partie. Je le regrette, bien sûr. Ne remue pas le fer dans la plaie.

Elle s'éloigne brusquement. Ellen se plonge dans de tristes pensées !

Miranda revient sur sa décision

Le lendemain, Henriette et Alice doivent aussi rester alitées. Puis d'autres suivent ce fâcheux exemple. La deuxième division se trouve réduite à sa plus simple expression. De nombreux pupitres sont inoccupés. Les élèves en bonne santé n'ont plus le cœur à rire.

Une seule est heureuse, Elsie. Elle a constamment refusé de s'intéresser au spectacle et la déception des autres la réjouit. Ainsi qu'Anna l'a prévu, Elsie a adopté une attitude de martyre, comme si elle était victime d'une grave injustice. Mais elle n'a pas reçu les marques de pitié qu'elle espérait.

Elsie est blessée dans son amour-propre. Elle n'a pas voulu s'abaisser à demander à Anna ce qu'a dit Mme Theobald, le jour où la directrice les a convoquées toutes les deux. Mais on ne peut en douter, les élèves ne la considèrent plus comme leur chef de classe et Miss Jenks, elle-même, ne donne qu'à Anna les missions de confiance. C'est vexant. Elsie envie à Carlotta sa facilité d'envoyer des gifles. La main lui démange de distribuer des soufflets.

Les malades passent un ou deux jours désagréables, mais, quand leur température baisse, elles s'asseyent sur leur lit et reprennent leur gaieté. Heureusement, elles sont en nombre. Elles peuvent jouer et bavarder.

— C'est les vacances de mi-trimestre, la semaine prochaine, fait remarquer Pat. Maman nous fera sortir.

— La mienne viendra aussi, dit Doris. Et toi, Carlotta, tu auras la visite de ton père ?

— Oui, et de ma grand-mère aussi, répond celle-ci d'un ton lugubre. Maintenant, je m'entends très bien avec papa, mais ma grand-mère me critique sans arrêt. Elle dit que j'ai les manières d'une écuyère de cirque, et c'est vrai. Pendant ce trimestre, j'ai essayé de me civiliser et de ne gifler personne.

— Miranda part à la mi-trimestre, n'est-ce pas ? s'écrie brusquement Bobbie. Elle ne sera pas là pour la fête et elle ne prendra pas part

128

au match de hockey. Elle manquera aussi la fête d'anniversaire que Carlotta va nous offrir.

— Quelle idiote ! lance Doris. Peut-on être stupide à ce point ?

— Elle ne serait pas mauvaise si elle était raisonnable, déclare Pat. Je l'aime bien maintenant. Et elle est très bonne pour sa timide petite Ellen. Catherine, qui est venue nous voir hier, me l'a appris. Ellen suit Miranda comme son ombre et obéit à tous ses ordres.

— Qui aurait dit que ces deux-là seraient amies ? dit Isabelle. Et ce n'est pas le seul miracle. Qui aurait pensé que cette paresseuse d'Anna se mettrait à travailler ?

À la fin de la semaine, toutes les malades vont beaucoup mieux. Elles ne sont pas en état de donner leur spectacle, mais elles peuvent au moins assister à celui de la troisième division.

Miranda est de plus en plus mélancolique. Le temps passe rapidement. Les vacances de mi-trimestre approchent. Elle ne jouera pas de piano ni de violon devant tout le collège et ne recevra pas d'applaudissements. La classe à moitié vide n'est pas faite pour l'égayer. Elle ne trouve de réconfort que dans son amitié avec Ellen.

Rabat-Joie se montre sous un nouveau jour. Elle manifeste, dans ses plaisanteries, un humour fin et délicat. Pendant les promenades, elle ne cesse de parler et de rire et semble oublier ses soucis. Elle a une grande affection pour Miranda, et celle-ci, jusque-là si brusque et si arrogante, est contente de sentir un bras se glisser sous le sien.

— Miranda, tu partiras vraiment à la mi-trimestre ? demande Ellen, le dimanche. C'est dans quelques jours. Moi qui étais si heureuse d'avoir une amie ! Reste, s'il te plaît !

— Impossible. Dès mon arrivée, j'ai décidé de partir à la mi-trimestre, je ne reviens jamais sur ce que j'ai dit !

— Je sais, soupire Ellen. Il faut être une nulle comme moi pour changer d'idée, mais ton départ me fait beaucoup de peine.

Ce jour-là, elle va voir Pat à l'infirmerie et répète les mêmes paroles.

— Le départ de Miranda me fait beaucoup de peine, explique-t-elle. Je ne suis plus la même depuis qu'elle s'occupe de moi. C'est grâce à elle que vous m'avez toutes applaudie quand je vous ai joué des scènes de Shakespeare.

— Pourquoi s'en va-t-elle ? demande Pat. Elle s'est bien habituée, elle est heureuse. Elle fait partie de notre groupe et la vie que nous menons lui plaît. Pourquoi donc retournerait-elle chez elle ?

130

— Elle ne veut pas revenir sur sa décision, explique Ellen. Elle a déclaré à sa famille et à tout le pensionnat qu'elle quitterait Saint-Clair, à la mi-trimestre. Elle ne peut pas se dédire. Elle a tant de caractère !

— Elle ne le montre pas en ce moment, proteste Pat. Elle s'entête et l'entêtement est un signe de faiblesse. Quelle stupidité, ce départ ! Nous avons besoin d'elle pour la séance, elle le sait. Elle est vaniteuse et obstinée, voilà tout.

Ce jugement frappe Ellen. La situation change du tout au tout. Ainsi Miranda ne fait pas preuve d'énergie, bien au contraire. Puisque sa décision est déraisonnable, elle devrait avoir le courage de le reconnaître ! De nouveaux horizons s'ouvrent à Ellen.

— Dis-le à Miranda, émet-elle.

— Dis-le-lui toi-même, conseille Pat. Tu es son amie, n'est-ce pas ?

— Elle ne m'écoutera pas. Tes paroles à toi auront beaucoup plus de poids. C'est ta deuxième année à Saint-Clair. Tu es presque une grande. Tout le monde admire ton bon sens et a recours à toi dans les cas difficiles.

Ces éloges font rougir Pat qui se rappelle, avec un peu de gêne, les mauvais tours qu'elle a joués aux professeurs, l'année précédente.

Mais elle n'a pas l'habitude d'esquiver les responsabilités.

— Envoie-moi Miranda, conclut-elle. Mme Rey m'a donné la permission de me lever cet après-midi, je la prendrai à part et je lui parlerai.

Ce programme est exécuté de point en point. Pat entraîne Miranda dans une petite pièce voisine du dortoir et prend le taureau par les cornes.

— Miranda, commence-t-elle, j'ai réfléchi à ton départ prochain. Je sais que tu ne veux pas revenir sur ta décision et je suis persuadée que tu as tort.

— Cela ne regarde que moi, réplique sèchement Miranda.

— Pas du tout. Cela regarde toute la classe. En particulier Ellen qui compte sur ton amitié.

— Je ne peux pas changer d'idée. Cela ne m'arrive jamais. Ne me tourmente pas !

— Si tu avais vraiment autant de caractère que tu le crois, tu reconnaîtrais que tu as fait fausse route, affirme Pat. Tu te plais beaucoup à Saint-Clair, mais tu es trop orgueilleuse pour avouer que tu as été stupide. C'est cela que tu prends pour de la fermeté.

— Pat, comment oses-tu me parler sur ce ton ! s'écrie Miranda, irritée. Tu te prends pour Mme Theobald, on dirait. Tu vas me dire, comme elle, que je ne vaux absolument rien.

— Je pense justement le contraire ! rétorque Pat. Je te conseille seulement de ne pas te laisser aveugler par ton obstination et ton orgueil.

Miranda s'enfuit en courant. Est-ce à Pat à lui faire la leçon ? Elle enfile son manteau et sort dans le parc, en proie à un accès de fureur. Mais, peu à peu, sa colère se calme et elle se met à réfléchir. Après tout, il y a du vrai dans les reproches de Pat.

« Pat est si intelligente ! songe-t-elle. Les professeurs comme les élèves ont beaucoup d'estime pour elle. C'est un fait que je suis utile à Ellen. Elle a beaucoup changé depuis que nous sommes amies. Si je pars, ne retombera-t-elle pas dans sa tristesse ? Ce sera une véritable désertion que je commettrai là. »

Le vent rafraîchit ses joues brûlantes. Elle s'assied sur un petit mur et regarde la vallée qui s'étend à ses pieds. La vue est très belle. En été, le parc doit être magnifique. La vie est agréable à Saint-Clair, cela ne fait aucun doute.

« Examinons la situation avec calme, se dit Miranda. J'en voulais à papa et à maman qui m'ont mise en pension, parce que je rendais la vie impossible à la maison. J'ai juré de retourner chez moi le plus tôt possible, pour bien montrer que l'on ne pouvait pas se débarrasser de moi si facilement. Maintenant, je me plais ici. Depuis mon arrivée, mon caractère s'est beaucoup amélioré et je suis capable de me juger. Je suppose que j'apprendrai bien des choses que je devrais déjà connaître : par exemple à penser aux autres, à ne pas vouloir imposer toujours ma volonté, à être plus souple. Qu'est-ce qui m'empêche de rester ? »

Elle contemple le panorama pour retarder le moment de répondre à cette question. Mais il faut bien en arriver là !

« Ce qui m'en empêche, comme Pat me l'a fait remarquer, c'est mon obstination et mon orgueil. Je suis trop orgueilleuse pour annoncer à papa que j'ai envie de rester. J'étais furieuse d'être mise en pension, je voulais me venger, en retournant à la maison le plut tôt possible, je me promettais d'être odieuse. Dire que je me prends pour une fille énergique ! Je ne suis ni plus ni moins qu'une chipie, comme Elsie ! »

Elle réfléchit encore quelques minutes, puis saute du mur, retourne au collège et enlève son manteau. Elle monte droit au bureau de Mme Theobald et frappe à la porte.

— Entrez, répond la directrice.

Miss Jenks et Mam'zelle sont là aussi. Miranda s'arrête, gênée par la présence des deux professeurs, mais elle ne peut plus reculer.

— Madame Theobald, déclare-t-elle, accepteriez-vous de me garder ? Je ne veux plus m'en aller à la mi-trimestre. Je me plais beaucoup ici et je regrette d'avoir été si stupide, au début.

Mme Theobald la regarde et lui adresse un affectueux sourire.

— Oui, nous serons très contentes de vous garder, dit-elle. N'est-ce pas, Miss Jenks et Mademoiselle ?

— En effet, répond Miss Jenks, avec un petit signe de tête bienveillant.

— Moi aussi, je suis ravie, ajoute Mam'zelle.

— Je téléphonerai à vos parents, promet Mme Theobald. Je me réjouis de voir que vous avez des dons. Je ne parle pas seulement de votre musique, mais de qualités plus précieuses encore !

Miranda, qui n'a jamais reçu de tels compliments, sort du bureau de la directrice, le cœur en fête. Elle sait qu'elle a beaucoup à apprendre, qu'elle commettra des erreurs, qu'elle sera grondée, mais peu lui importe.

Elle se met à la recherche d'Ellen et la découvre, assise dans un coin de la salle de loisirs, triste et seule. Elle s'approche d'elle et lui pose la main sur l'épaule.

— J'ai vu Pat, dit-elle. C'est toi qui l'avais chargée de me parler, n'est-ce pas ? Eh bien, c'est décidé, je reste ! Je viens de l'annoncer à Mme Theobald. J'ai réfléchi. Pat et toi, vous avez raison, ce serait de la faiblesse de partir.

Des larmes de joie montent aux yeux d'Ellen qui peut à peine en croire ses oreilles.

— Tu joueras, à la séance ! s'écrie-t-elle. Tu assisteras à la fête d'anniversaire de Carlotta ! Nous nous amuserons bien ! Miranda, je suis fière de toi !

— C'est en grande partie pour toi que je reste, affirme Miranda. C'est si bon d'avoir une véritable amie !

— Que de choses j'aurai à écrire à maman ! reprend Ellen. Toutes nos camarades se réjouiront de ta décision.

Elle ne se trompe pas. Les élèves ont maintenant beaucoup d'amitié pour Miranda, elles l'admirent d'avoir tant changé et d'avoir reconnu ses torts. Son comportement ridicule du début du trimestre est déjà oublié.

Seule Elsie ne participe pas à la joie générale. Cette stupide Miranda ne mérite pas tant d'effusions et tant de compliments ! Dire que cette fille est choyée et entourée, alors que personne ne fait attention à la pauvre Elsie !

Cette dernière jette des regards noirs à Miranda. Celle-ci ne s'en aperçoit pas. Elle est si heureuse de rester à Saint-Clair !

chapitre 13

Les vacances

Les petites vacances de mi-trimestre sont les bienvenues. La plupart des parents viennent chercher leurs filles. Celles qui habitent assez près passent un jour ou deux chez elles, les autres se contentent de quelques distractions dans la ville voisine de Saint-Clair. Alice, dont le père et la mère sont en voyage, accompagne les jumelles.

— Comment s'est passé le trimestre ? demande Mme O'Sullivan. Vous travaillez bien, j'espère ?

Mais, pour le moment, les études passent au second plan. Les jumelles parlent surtout du spectacle, des matchs de hockey, de la fête que

Carlotta donnera pour son anniversaire. Alice chante les louanges de Miss Quentin.

— C'est un professeur merveilleux. Elle me donne toujours les rôles de princesses, déclare la petite vaniteuse. J'aimerais bien être actrice plus tard. Miss Quentin a dit…

— En voilà assez de Miss Quentin ! interrompt Pat. Maman, l'année dernière, Alice ne parlait que de Sadie, l'Américaine. Soit dit en passent, Sadie ne lui a jamais écrit un mot. Maintenant elle s'est entichée de Miss Quentin. Que faire pour lui mettre un peu de plomb dans la cervelle ?

Alice a été très blessée que sa meilleure amie, Sadie, n'ait pas pris la peine de lui donner de ses nouvelles. Ce n'est pas sympa de la part de Pat de le lui rappeler.

— Miss Quentin n'est pas comme Sadie ! rétorque-t-elle. Elle m'a promis de m'écrire pendant les vacances. Elle ne manquera pas à sa promesse, j'en suis sûre. Elle est si…

— Si jolie, si merveilleuse, si extraordinaire, achève Isabelle en riant. Que pense-t-elle de toi, Alice ? Je serais étonnée qu'elle te rende ton admiration.

Alice ouvre la bouche pour lancer une réponse cinglante. Mme O'Sullivan se hâte d'intervenir.

— Voyons, voyons, dit-elle, ne perdons pas notre temps en querelles ! Nous avons mieux à faire. Je suis persuadée que Miss Quentin est un professeur de grande valeur. Voulez-vous aller au cinéma, cet après-midi ?

Le père et la mère de Miranda ont annoncé leur visite. Miranda, qui a oublié ses griefs ridicules, les attend avec impatience à la porte d'entrée.

Quand ils arrivent, à leur grande surprise, elle s'élance vers eux et leur saute au cou, en s'écriant d'une voix étranglée : « Maman ! Papa ! Que je suis heureuse de vous revoir ! »

M. et Mme Davidson regardent leur fille, rose de plaisir et les yeux brillants. Ils ne la reconnaissent plus. Ils l'embrassent tendrement et l'interrogent sur sa nouvelle vie. Miranda leur montre le collège. M. Davidson s'est décidé, en quelques heures, à mettre sa fille en pension. Il a choisi Saint-Clair qui lui a été recommandé par un ami. Tout s'est fait si rapidement que ni le père ni la mère de Miranda n'ont eu le temps de visiter l'établissement.

— Quel beau parc ! constate Mme Davidson. J'aimerais bien m'y promener !

— Maman, il faut que tu voies tout ! réplique Miranda.

Elle entraîne ses parents et ne leur fait grâce de rien. Le dortoir, le réfectoire, les classes, la salle de loisirs, ils visitent la moindre pièce. La jeune fille rit et bavarde. Ses parents échangent des regards surpris et satisfaits. Ils n'auraient jamais cru que leur fille puisse tant changer, en si peu de temps.

— Papa, je te remercie de m'avoir inscrite à Saint-Clair, conclut Miranda quand ils ont tout vu. C'est sûrement le meilleur collège d'Angleterre !

Elle a quelques secondes d'hésitation. Elle a maintenant à prononcer des paroles difficiles. Ce n'est jamais agréable d'avouer ses torts.

— Je regrette beaucoup d'avoir été insupportable à la maison, déclare-t-elle enfin. J'ai beaucoup réfléchi et je comprends que j'étais odieuse.

— Tout est oublié, assure son père. Nous n'y penserons jamais plus. Mme Theobald nous a appris que tu désirais rester et nous nous en réjouissons. Elle nous a fait de grands compliments de toi.

— C'est vrai ? demande Miranda. D'abord, je la détestais. Elle m'avait dit des vérités désagréables. Maintenant, je l'admire beaucoup. Maman, je regrette que tu n'aies pas amené

Jeannette et Henri. J'aurais été si contente de les voir !

— Ils voulaient venir, répond sa mère. Mais le trajet est trop long et nous restons trop peu de temps. Dépêchons-nous d'aller déjeuner ! Comment désires-tu employer ton après-midi ?

— Maman, papa, je voudrais vous demander quelque chose qui me ferait grand plaisir, réplique Miranda. J'ai une amie qui ne sort pas. Sa mère est malade à l'hôpital. Permettriez-vous qu'elle vienne avec nous ?

— Bien sûr, assure Mme Davidson, heureuse de constater que sa fille, maintenant, pensait aux autres.

— Je vais la chercher.

Elle s'éloigne en courant. Ellen se prépare à déjeuner à une table vide dans le grand réfectoire, toute triste d'être seule pendant que ses camarades goûtent les joies de la famille. Miranda fond sur elle.

— Ellen, tu viens avec nous ! Vite, demande la permission à Miss Jenks ! Papa et maman t'emmènent !

Quelle bonne surprise ! Un peu intimidée à l'idée de voir les parents de Miranda, Ellen a un élan de reconnaissance envers eux. Elle n'a jamais eu beaucoup de distractions et la perspective d'un déjeuner au restaurant et d'une matinée au théâtre l'enchante.

— Dépêche-toi ! s'écrie Miranda. Va demander l'autorisation à Miss Jenks. Pendant ce temps, j'irai chercher ton manteau.

Quelques minutes plus tard, Ellen, rouge de timidité et presque incapable de parler, est devant M. et Mme Davidson. Ils la regardent avec étonnement. Cette nouvelle amie de leur fille ressemble si peu aux compagnes effrontées et bruyantes que Miranda avait choisies jusque-là. Ils éprouvent aussitôt de la sympathie pour Ellen. Mme Davidson lui adresse un sourire maternel.

Ellen lui trouve quelque ressemblance avec sa mère. Toutes les deux sont douces et bonnes. Elle se sent aussitôt en confiance. En quelques minutes, elle se dégèle et parle sans aucune gêne.

— Que ta maman est gentille ! chuchote-t-elle à Miranda, avant d'entrer dans le hall du restaurant. Ton père est aussi. Tu as vraiment de la chance d'avoir des parents comme eux !

Miranda hoche la tête. Elle voit son père et sa mère avec des yeux différents, après cette séparation de quelques semaines. Les éloges d'Ellen lui vont droit au cœur.

— Quel bon après-midi nous allons passer ! s'écrie-t-elle. Je suis bien contente que tu sortes avec moi !

Une grande surprise est réservée à Ellen. Mme Davidson lui demande le nom de l'hôpital où est soignée sa mère. La réponse lui arrache une exclamation.

— Mais c'est tout près de l'endroit où habite ma sœur. Je vais souvent la voir et je pourrai demander des nouvelles de votre mère, peut-être même lui parler quelques instants, si les visites sont autorisées.

Ellen ne trouve pas de mots pour exprimer sa reconnaissance. Les lettres sèches de l'infirmière ne lui suffisent pas. Elle aura, par Mme Davidson, des nouvelles plus détaillées.

— Merci, madame ! s'écrie-t-elle quand elle a recouvré l'usage de la parole. J'aimerais bien que vous puissiez la voir !

Les vacances ne passent que trop rapidement. Toutes les élèves en gardent un excellent souvenir. C'est une agréable diversion dans leur vie de pensionnaires. De retour au collège, elles se racontent la façon dont elles l'ont employé.

— Bonjour ! disent les jumelles à Carlotta qu'elles trouvent sur leur chemin. Tu t'es bien amusée ? Ta grand-mère n'est pas montée sur ses grands chevaux ?

— Non. Elle a été contente de moi, répond Carlotta. Je n'ai pas marché sur les mains et j'ai essayé de ne pas faire de fautes de grammaire en parlant. Je m'étais si bien coiffée que vous ne m'auriez pas reconnue. J'ai été d'une politesse exemplaire. Papa m'a fait des compliments. Il m'a donné un gros billet pour mon anniversaire.

— Félicitations ! dit Pat.

— Ma grand-mère m'a permis de commander un bon gâteau d'anniversaire à la pâtisserie de la ville, reprend Carlotta. Nous nous régalerons. Elle m'a apporté des tas de choses de la maison. J'ai une caisse dans le placard de notre dortoir. Je ne sais pas encore ce qu'il y a dedans, mais elle est très lourde.

— Magnifique ! approuvent les jumelles. Tu pourras inviter tout le collège.

— Non, simplement notre division, réplique Carlotta. Je ne suis pas encore fixée pour l'heure. L'après-midi à l'heure du goûter, ou un réveillon à minuit, ce qui serait beaucoup plus amusant. Il faut qu'il y ait un réveillon chaque année. C'est presque une tradition.

La deuxième moitié du trimestre s'annonce bien : la fête, plusieurs matchs de hockey, l'anniversaire de Carlotta !

Isabelle et Patricia se promettent de contribuer à la gaieté générale. Leur cousin, un collégien très espiègle, leur a envoyé une attrape qui intriguera beaucoup Mam'zelle. Elle se compose d'un long tuyau terminé, à une extrémité, par une petite poche et, à l'autre, par une poire en caoutchouc. Quand on presse la poire, l'air monte dans la poche qui augmente de volume.

— À quoi cela sert-il ? demandent Bobbie et Margaret avec curiosité.

— Notre cousin nous a écrit pour nous l'expliquer, répond Pat en riant. On met la poche sous l'assiette de quelqu'un pendant le repas et on cache le tuyau sous la nappe. Quand on presse la poire, la poche se gonfle et fait bouger l'assiette. Imagine l'étonnement de Mam'zelle quand son assiette se mettra à danser ! Nous allons bien rire !

Les tours joués à Mam'zelle sont particulièrement amusants. Elle s'y laisse toujours prendre, tandis que les autres professeurs se montrent plus méfiants.

— Pat, dépêche-toi d'essayer ! supplie Doris. Ce trimestre, nous n'avons encore fait de niche à personne.

— Nous sommes en deuxième division, ne l'oubliez pas, déclare Margaret d'un ton taquin.

— Nous ne sommes pas des chefs de classe, mais de simples élèves, fait remarquer Isabelle. Si nous étions trop sages, on nous traiterait toutes de saintes-nitouches.

— Ce n'est pas l'envie qui me manque de faire une farce, dit Pat, mais Miss Jenks le prendra de travers. Elle est plus emportée que Miss Roberts. Je ne tiens pas à être envoyée devant Mme Theobald, maintenant que je suis en deuxième division. Tu n'es pas de mon avis, Bobbie ?

— Tout à fait. Je ne sais pas si vous l'avez remarqué, mais je travaille avec application. Je ne suis pas insouciante et brouillon comme l'année dernière. Je pense à autre chose qu'aux farces et aux plaisanteries.

— Si nous répétions nos numéros pour la fête ? propose Pat. Nous n'avons plus que quelques jours. Va chercher ton violon, Miranda. Ellen, que réciteras-tu ? Choisis un rôle parmi tous ceux que tu sais par cœur. Il faut que nous remportions un grand succès !

chapitre 14

Une représentation réussie

Le jour de la fête arrive enfin. Miss Jenks doit s'armer de patience, car les élèves de deuxième division n'ont pas la tête à leurs études. Mam'zelle est le seul professeur qui ne tient pas compte de leurs préoccupations. Bon gré mal gré, les enfants sont obligées de travailler pendant ses cours.

— C'est ridicule, cette représentation au milieu d'un trimestre ! se plaint Mam'zelle à Miss Jenks. Ces filles ne pensent plus qu'à cela. Moi, à leur âge…

— Vous, vous restiez penchée sur vos livres, toute la journée et une partie de la nuit. Pas de sport, pas de séance récréative ! réplique Miss Jenks avec un sourire.

Les professeurs ont entendu mille fois le récit de la studieuse jeunesse de Mam'zelle.

— Il y a des choses aussi importantes que les études, déclare Miss Roberts. Par exemple, aider les élèves à forger leur personnalité. Cette séance qui vous indigne a de grands avantages. Elle met en lumière des talents ignorés. Voyez Ellen et Miranda. Elle développe l'ingéniosité, l'esprit d'initiative. Doris a confectionné elle-même les robes qu'elle portera, pour ses imitations de Mme Rey et de la cuisinière.

Mam'zelle ignore que Doris l'imitera aussi. Les autres professeurs le devinent et s'apprêtent à rire. Mam'zelle, que tout le monde aime, prête à la caricature. Elle a d'ailleurs le sens de l'humour et comprend la plaisanterie.

— Le spectacle de la troisième division était assez réussi, dit Miss Lewis, le professeur d'histoire. Mais je crois que celui de la deuxième sera plus divertissant. Nous passerons une bonne soirée.

Une activité fébrile règne en deuxième division. Seule Elsie n'y prend pas part. Elle a obstinément refusé de réciter ou de chanter et n'avait même pas accepté de faire le souffleur.

— Voyons, Elsie, on trouvera très étrange que tu restes à l'écart, avait dit Pat avec

150

irritation. Nous t'offrons des tas d'emplois et tu les repousses tous. Nous sommes vraiment trop patientes avec toi.

— Je jouerai un rôle à une condition, avait répondu froidement Elsie.

— Laquelle ? demanda Bobbie qui s'approche.

— Que je sois de nouveau chef de classe avec Anna, répliqua Elsie. La punition a duré plusieurs semaines. Il est temps qu'elle cesse.

— Nous demanderons aux autres, dit Pat.

Ce soir-là, avant le début de la répétition, Anna expose le problème.

— Elsie accepte de prendre part au spectacle si elle redevient chef de classe. Qu'en pensez-vous ?

— Pourquoi ce marchandage ? s'écrie Carlotta. C'est à nous de lui poser nos conditions. Voilà ce qu'il faut lui répondre : tu seras de nouveau chef de classe si tu montres que tu en es digne.

— Tu as raison, approuve Doris.

— Examinons sa conduite au cours des dernières semaines, propose Pat. A-t-elle essayé de nous donner une meilleure opinion d'elle ? A-t-elle montré que l'on pouvait lui confier de nouveau des fonctions délicates ? Non. Elle a manifesté sa rancune. Chaque fois qu'elle en a eu l'occasion, elle a été désagréable, elle a pris des airs de martyre, dans l'espoir de regagner notre sympathie. Elle s'est trompée dans ses calculs. Nous avons fait comme si elle n'existait pas et cela l'a profondément vexée.

— Je ne vois pas pourquoi nous nous tourmenterions à son sujet, déclare Margaret. Vraiment, je ne le vois pas.

— Suivons nos méthodes habituelles, dit Anna. Levez la main, celles qui veulent bien qu'Elsie soit de nouveau chef de classe !

Pas une seule main ne se lève.

— La question est réglée, conclut Anna. Elsie devra se soumettre. Elle n'a pas tiré parti de la leçon. J'aurais accepté de collaborer de nouveau avec elle si vous l'aviez voulu, mais je suis bien contente que vous refusiez.

Elsie n'est pas là et personne ne prend la peine d'aller à sa recherche pour la mettre au courant. Les élèves commencent leur répétition et sont bientôt très occupées à s'applaudir et à se critiquer. Ellen est maintenant habituée à avoir un auditoire et elle fait preuve de beaucoup de naturel. Doris et elle sont de véritables artistes dans des genres différents. Doris, si habile dans ses parodies, est incapable de jouer un rôle. Ellen, qui ne sait imiter personne, interprète avec art et vérité une scène de comédie ou de tragédie. Toutes les deux s'admirent mutuellement. Ellen compte une nouvelle amie.

— Je crois qu'on est au point, déclare enfin Pat. C'est parfait ! Doris, tu feras rire tout le monde. J'espère que Mam'zelle ne se fâchera pas. Cela m'étonnerait !

La porte s'ouvre pour livrer passage à Elsie.

— Vous ne m'avez pas appelée pour la répétition, fait-elle remarquer. Quel morceau voulez-vous que je chante ?

— Tu as posé comme condition préalable de reprendre ton titre de chef de classe, commence Anna, un peu embarrassée. La deuxième division a voté à main levée. J'ai le regret de t'annoncer que la réponse est négative. Nous avons pensé que, dans ce cas, tu ne voudrais pas participer à la séance.

— Je veux bien cependant chanter deux ou trois mélodies, déclare Elsie.

Les autres la regardent avec stupeur.

— C'est un peu tard ! réplique enfin Pat. Tu as refusé jusqu'à présent et tu as voulu conclure avec nous un marché qui n'est pas de notre goût. Tu commences à être gênée de rester à l'écart : tout le collège se demandera pourquoi. Tu quittes donc tes manières arrogantes et tu veux bien chanter, même si

nous ne te voulons pas comme chef de classe.
Chante si tu veux, mais ne nous demande pas
de te sauter au cou et de verser des larmes de
joie. Ce serait impossible !

Elsie écoute avec colère ce long discours.
Pat dit vrai : Elsie trouve humiliant de ne pas
paraître sur la scène. Toutes les élèves du collège le remarqueront, chuchoteront, se don-
neront des coups de coude sur son passage.
Elsie ne le supporte pas, mais elle n'a pas non
plus l'énergie de maîtriser sa colère et d'accepter l'offre sans chaleur de Pat. Elle pousse une
exclamation de rage et sort. Doris se dépêche
de la singer et toutes les autres éclatent de
rire. Elsie les entend et fond en larmes.

Le spectacle est très réussi. Tout le collège y
assiste. Le rideau se lève à huit heures juste et
la représentation se déroule sans anicroche.
La troisième division a commencé en retard.
Il y a eu entre les numéros de longs intervalles
qui ont lassé les spectateurs. La deuxième a
évité tous les écueils.

Chaque numéro est applaudi. Le public rappelle Miranda sur scène. Elle est si heureuse
qu'elle en perd ses mots. Son morceau de violon étonne tout le monde, même les quatre
professeurs de musique, pourtant habituées
aux élèves douées.

Les acrobaties de Carlotta sont ponctuées de cris de joie. Toutes les élèves savent que Carlotta a été écuyère dans un cirque et l'applaudissent à se faire mal aux mains. « Les petites » de première division la regardent avec ébahissement et se promettent tout bas de l'imiter.

Ellen est également rappelée sur scène. Lorsque, pâle et nerveuse, elle s'avance sur l'estrade, on s'attend au pire. Mais son trac ne dure pas. Elle oublie bientôt son auditoire pour n'être plus que le personnage qu'elle interprète et elle tient toute l'assemblée sous le charme. Malgré sa jeunesse, c'est déjà une excellente actrice !

Miss Quentin reste muette de surprise. Elle se flatte de connaître les capacités de tous les élèves qui suivent les cours de diction. Elle croyait que Doris et Carlotta étaient les seules à profiter de ses leçons, et voilà que cette petite Ellen, si insignifiante, se distingue en récitant quelques-uns des passages les plus difficiles de Shakespeare. Mme Theobald se penche vers Miss Quentin.

— Je vous félicite de votre élève, dit-elle à voix basse. Vous l'avez sûrement beaucoup aidée. Elle ne serait pas arrivée toute seule à ce point de perfection. C'est extraordinaire !

Miss Quentin est trop vaniteuse pour avouer la vérité et déclarer qu'elle est aussi étonnée que Mme Theobald. Elle aime les louanges et se contente de hocher la tête comme si elle s'était donné pour Ellen une peine toute particulière. En secret, elle décide de s'occuper de cette nouvelle vedette et de lui attribuer le rôle le plus important dans la pièce que la deuxième division prépare sous sa direction. Alice compte l'avoir. Tant pis ! Ellen le jouera cent fois mieux et Miss Quentin recevra tous les éloges.

La séance continue. Les jumelles sont applaudies, Margaret également. Les tours de magie, que Bobbie accompagne de spirituels boniments, amusent beaucoup l'assistance. Mais c'est Doris qui est vraiment le clou de la soirée.

Quand elle paraît, habillée comme la grosse cuisinière, il y a un déchaînement de rires. Elle fait semblant de préparer un pudding, tout en débitant, avec l'accent irlandais, un monologue truffé des pittoresques locutions de la brave femme. Puis, elle fait quelques changements rapides dans sa toilette. Isabelle lui apporte des fioles pharmaceutiques et un thermomètre. Doris est alors Mme Rey, interrogeant les malades envoyées à l'infirmerie.

Mme Rey, qui assiste à la représentation, n'est pas la dernière à s'amuser. Les rires noient les plaisanteries de l'actrice. Doris est irrésistible !

— Elle devrait faire du théâtre, dit Mme Rey en s'essuyant les yeux. Suis-je aussi comique que cela ? Il est vraiment temps que je prenne ma retraite ! Cette fille me fera mourir de rire. Mais vous verrez, quand elle viendra se faire soigner ! Je me vengerai !

Doris se retire dans les coulisses. Le programme indique qu'elle fera une troisième apparition. Qui singera-t-elle ?

Dès qu'elle revient, on comprend tout de suite. Rembourrée de coton, elle est toute ronde. Elle a tiré ses cheveux en arrière et les a rassemblés en chignon sur la nuque. Elle a de grosses chaussures plates, secrètement subtilisées dans la chambre de Mam'zelle, et porte des lunettes de travers sur son nez.

— Mam'zelle ! crie-t-on de tous les côtés. Mam'zelle !

Doris s'avance au bord de la scène et se met à parler avec le mauvais accent anglais de Mam'zelle. Elle s'adresse à des élèves imaginaires et les gronde avec véhémence.

— C'est abominable ! conclut-elle.

Puis elle dispose des livres sur un bureau et fait un cours à la manière de Mam'zelle, ses mains voletant de-ci de-là, ses verres glissant sur son nez. Tous les yeux se tournent vers le professeur de français. Va-t-elle se fâcher ? Renversée sur sa chaise, elle s'abandonne à une gaieté contagieuse. Les élèves ont un élan d'affection vers elle. C'est chic de sa part de rire de ses travers et de ses tics !

Jamais on n'a vu à Saint-Clair spectacle aussi réussi. Après la représentation, toutes les spectatrices se réunissent autour des artistes pour les féliciter. Ellen et Miranda ont leur part d'éloges et s'en réjouissent sans fausse modestie.

« Maman aura du mal à le croire, pense Ellen, le visage rayonnant. Je lui raconterai tout en détail. Miranda a joué comme une virtuose. Mes mains me font mal tant j'ai applaudi ! »

— Les billets et les programmes nous ont rapporté beaucoup d'argent, annonce Anna. Je suis sûre que les autres divisions n'ont pas versé autant à la Croix-Rouge.

Mme Rey et Mam'zelle offrent du café et des biscuits aux élèves de deuxième division.

— Nous sommes bien bonnes de régaler des impertinentes qui nous ont tournées en ridicule, Mam'zelle et moi, dit Mme Rey en souriant à la ronde. Tiens ! Elsie n'est pas là ? Je ne l'ai pas vue sur la scène.

Les élèves sont si heureuses de leur succès qu'elles voudraient qu'Elsie ait aussi sa part de café et de biscuits. Mais la jeune fille est introuvable.

Elsie est couchée, mais ne dort pas. D'amères pensées l'obsèdent. Les échos des rires et des applaudissements, qui n'ont pas été pour elle, résonnent douloureusement à ses oreilles.

COLLÈGE
SAINT-CLAIR
PENSION DE JEUNES FILLES

chapitre 15

Elsie veut se venger

Carlotta a décidé que son quinzième anniversaire serait célébré en grande pompe. Elle rassemble ses amies pour ouvrir la caisse que sa grand-mère lui a apportée. Le contenu dépasse toutes les espérances.

— Des sardines ! s'écrie Pat. Du foie gras ! Qu'est-ce que c'est que cela ? Une énorme boîte de tranches d'ananas ! Il y a une éternité que je n'ai pas mangé d'ananas. Ce gros carton, que contient-il ?

— Des bouchées de chocolat à la crème ! répond Margaret. Assez pour tout le collège, je crois.

— Des crevettes ! s'enthousiasme Isabelle. S'il y a quelque chose que j'aime, ce sont les crevettes. Les crevettes et l'ananas vont très bien ensemble !

— Un pain d'épice, constate Alice. Il est immense ! Carlotta, tu as une grand-mère idéale. La mienne m'envoie un cake et un sac de bonbons. La tienne est formidable !

— C'est récent, nuance Carlotta en riant. Quand elle ne m'approuvait pas, elle me donnait simplement un peu d'argent et un ruban pour mes cheveux. Maintenant, je suis dans ses petits papiers. Vous voyez le résultat !

— Il faut encore améliorer les manières de Carlotta, conseille Pat. Pendant les vacances, elle fera de grandes révérences à sa grand-mère et elle rapportera de quoi monter une confiserie.

— Et ça, qu'est-ce que c'est ? crie Henriette, en tirant de la caisse un gros flacon plein d'un liquide jaune.

Elle lit l'étiquette et éclate de rire.

— Écoutez : « Une cuillerée par personne, après le festin d'anniversaire ». Carlotta, ta grand-mère pense à tout !

— Elle t'a permis de faire une commande à la pâtisserie de la ville pour ton anniversaire, n'est-ce pas ? demande Pat en jetant un coup d'œil sur les provisions. Je crois que nous n'avons pas besoin d'autre chose.

— Je veux un grand gâteau avec quinze bougies, annonce Carlotta. Les bougies, c'est un peu enfantin quand on a quinze ans, je le sais. Tant pis ! C'est si joli des bougies roses allumées ! Si nous mangeons le gâteau en pleine nuit, elles nous serviront d'éclairage.

— Ce sera un réveillon ? interroge Miranda. J'ai souvent lu des descriptions de réveillons, dans les collèges, mais je croyais que c'était inventé.

— C'est la vérité vraie, affirme Pat. Tu verras.

— Je commanderai des quantités de bouteilles de limonade, dit Carlotta. Nous en aurons besoin pour faire passer toutes ces provisions. Et aussi des brioches que nous mangerons avec du beurre et de la confiture. Dommage que nous ne puissions pas faire une friture, j'adore les harengs !

Toutes s'esclaffent. Des harengs, Carlotta en a souvent mangé quand elle était au cirque. Elle décrit, avec nostalgie, à ses amies, le goût délicieux du poisson frit sur un feu de bois, après une représentation.

— Non, Carlotta, pas de harengs, décrète Anna. L'odeur réveillerait tout le collège. Nous la sentons quand on en prépare à la cuisine, malgré les portes fermées.

Toutes les conversations roulent sur l'anniversaire de la jeune Espagnole. Elsie les entend. Elle sait qu'il y aura un goûter ou un réveillon et que Carlotta a reçu beaucoup de bonnes choses. Elle se demande si elle sera invitée. Les autres profitent d'un moment où elle n'est pas dans la salle de récréation pour débattre de la question.

— Inviterons-nous Elsie ? questionne Pat.

— Non ! s'écrient presque toutes ses camarades.

— Si, invitons-la ! dit Anna, toujours généreuse. Elle aime les gâteaux autant que nous.

— Mais avec son air lugubre, elle gâchera notre plaisir ! réplique Bobbie.

Elsie, qui se prépare à entrer dans la salle de récréation, entend son nom et reste dehors à écouter. Elle imagine toujours qu'on parle d'elle. Pour une fois, elle ne se trompe pas !

— C'est mon anniversaire, j'ai le droit de choisir mes invitées, affirme Carlotta. C'est à moi de dire si je veux Elsie ou non.

— C'est vrai ! Décide, Carlotta ! renchérissent cinq ou six voix.

— Je l'inviterai, mais en même temps je lui conseillerai de ne plus jouer à la martyre, déclare Carlotta. Elle va et vient avec une tête d'enterrement. Tout le monde se moque d'elle, j'en suis sûre. C'est la honte de notre division. Je l'inviterai à condition qu'elle se montre raisonnable.

— C'est cela, approuve Anna, fatiguée elle aussi des façons d'Elsie. La leçon lui a peut-être servi. Elle profitera de l'occasion pour se réconcilier avec nous.

— Pauvre Elsie ! gémit Doris et elle imite la voix aiguë et geignarde d'Elsie.

Un grand éclat de rire lui répond. Toutes ignorent qu'Elsie écoute, derrière la porte. Si elles l'avaient su, elles la mépriseraient, car elles ont des idées très nettes sur ce qui est honorable et sur ce qui ne l'est pas.

Elsie oublie que ceux qui écoutent aux portes entendent rarement dire du bien d'eux. Elle reste clouée sur place, tremblante de colère, détestant ces filles qui prononcent son nom d'un ton de mépris.

Le loquet grince et elle s'enfuit précipitamment. Elle entre dans un vestiaire et fait semblant de chercher ses chaussures. Les élèves de deuxième division, qui sortent de la salle de loisirs, car c'est l'heure de la promenade, ne devinent pas qu'elle a entendu leurs paroles.

Elles sont un peu en retard et Carlotta n'a pas le temps de faire son invitation. Elsie se joint à ses camarades, mais elle ne desserre pas les dents, pendant la promenade. La rage emplit son cœur.

Le soir, Carlotta s'approche d'Elsie qui coud dans un coin de la pièce.

— Elsie, tu sais que je fêterai bientôt mes quinze ans, n'est-ce pas ?

— Tout le collège le sait, réplique Elsie d'une voix sèche.

—Je donne une fête à cette occasion, continue Carlotta. Toutes les élèves de deuxième division y assisteront. J'aimerais que tu viennes aussi, mais seulement si tu dois être gentille. Nous en avons assez de ton attitude ridicule. Voyons, Elsie, aie un peu de bon sens ! Si tu oublies tes griefs imaginaires, nous ne demandons qu'à t'accueillir parmi nous.

— C'est bien aimable de votre part, réplique Elsie d'un ton sarcastique. La noble Carlotta est condescendante et magnanime. Je devrais être reconnaissante, m'incliner très bas devant elle et la remercier de ses faveurs insignes.

— Ne dis pas de bêtises ! proteste Carlotta gênée.

— Eh bien, je ne m'incline pas, reprend Elsie en changeant de ton. Non, merci, je n'assisterai pas à ta fête. « Sois une petite fille bien sage et nous t'inviterons ! », c'est ce que tu oses me dire, à moi qui devrais être ton chef de classe ! À aucun prix, je ne veux manger de tes gâteaux ! Ils m'étoufferaient. Et si vous faites un festin de minuit, prenez garde ! Vous êtes en deuxième division, maintenant plus en première. Si on vous surprend, Anna ne sera plus chef de classe, elle non plus.

— Tu es insupportable, Elsie ! s'indigne Carlotta. Si tu ne veux pas venir, ne viens pas. Je serai bien contente.

— Et nous aussi ! crient Pat, Isabelle et quelques autres qui ont écouté la conversation. Reste dans ton coin, Elsie. Nous nous amuserons beaucoup mieux sans toi !

Elsie reprend sa couture. Elle avait très envie d'assister à la fête, car elle aime les gourmandises, mais elle est trop obstinée et trop rancunière pour reconnaître ses torts. Tout en cousant, elle cherche un moyen de troubler les réjouissances.

« Si je découvrais où et quand Carlotta célèbre son anniversaire, je pourrais avertir Miss Jenks, sans en avoir l'air, pense-t-elle. Miss Jenks n'aime pas beaucoup les infractions au règlement. Un mot et tous les gâteaux seraient confisqués. Je rirais bien ! »

Mais Carlotta se garde de lui faire des confidences. Elle la connaît trop pour cela. Il a été décidé que le festin aura lieu, la nuit, dans la salle de loisirs. Les jalousies baissées, la porte fermée, personne ne se doutera de rien. La salle est loin des chambres des professeurs et assez près des dortoirs de deuxième.

En l'absence d'Elsie, toutes les conversations portent sur le même sujet. Dès qu'elle apparaît, on parle d'autre chose. Alice elle-même, si étourdie, ne laisse pas échapper un mot imprudent.

Carlotta a fait sa commande à la pâtisserie. Le gâteau, orné de quinze bougies de couleur, sera magnifique. Il sera décoré de violettes et d'une inscription en lettres dorées. Les bougies seront fixées dans des roses de sucre. Les préparatifs s'achèvent dans la fièvre.

— On a apporté les bouteilles de limonade, annonce gaiement Pat. Le livreur les a mises au fond du hangar des bicyclettes. Miss Jenks aurait une attaque si elle les voyait. Nous les rentrerons deux par deux quand la voie sera libre.

— Que c'est amusant ! s'écrie Miranda. Heureusement que je suis restée ! Dire que j'aurais manqué l'anniversaire de Carlotta ! Il aurait fallu que je sois idiote.

— Tout à fait idiote ! renchérit gaiement Ellen.

Cette dernière n'est plus le rabat-joie de service. Elle rit de tout son cœur, approuve les paroles qui tombent de la bouche de Pat et suit Miranda comme un petit chien. Miranda lui rend son affection. Toutes les deux sont inséparables. Saint-Clair a déjà fait beaucoup de bien à l'une comme à l'autre.

— Mieux vaut ne rien faire cuire, conseille Pat. Une fois, nous avons fait frire des saucisses, au milieu de la nuit. L'odeur s'était répandue dans le corridor. Nous nous contenterons de choses froides. Il y a des piles d'assiettes fêlées sur l'étagère supérieure du placard, dans le réfectoire, nous en prendrons. On ne s'apercevra pas de leur disparition pendant un jour ou deux.

Que de rires pendant le transport clandestin des verres, des assiettes, des plats, des cuillers et des fourchettes dans la salle de loisirs ! La date fatidique approche. Le gâteau est prêt. Les élèves vont l'admirer à la pâtisserie. Il est merveilleux.

— Comme le temps passe lentement ! se lamente Pat. La nuit de fête n'arrivera donc jamais ?

chapitre 16

L'anniversaire de Carlotta

La veille de l'anniversaire de Carlotta, les élèves de deuxième division sont réunies dans leur salle de loisirs. Alice jette un regard rapide autour d'elle. Elsie n'est pas là.

— À quelle heure le festin de demain ? demande-t-elle. À minuit ? Pas plus tard, n'est-ce pas ? Mam'zelle dit que c'est l'heure des sortilèges et Miss Quentin…

— Tu aimerais bien inviter Miss Quentin ? demande Isabelle en tirant les cheveux bouclés d'Alice. Tu la vois assise dans notre salle de récréation, en bigoudis, le visage luisant de crème, mangeant des ananas et des sardines ? Moi pas.

— Elle ne met pas de bigoudis, proteste Alice indignée. Elle a de beaux cheveux qui ondulent naturellement. Pourquoi êtes-vous toutes si injustes envers elle ? Oui, je voudrais qu'elle assiste au réveillon. Elle serait si contente !

— Pas nous, réplique Pat qui n'a pas grande sympathie pour le professeur de diction. Tu exagères avec ta Miss Quentin ! Elle n'est pas tellement formidable. Je n'ai pas trouvé chic de sa part de s'attribuer tout l'honneur du succès d'Ellen l'autre soir.

— Que veux-tu dire ? interroge Alice.

— Tu sais bien qu'Ellen a joué des scènes de Shakespeare à la séance récréative, dit Pat qui aurait voulu guérir Alice de son engouement stupide pour Miss Quentin.

— Eh bien ?

— Quand elle a eu fini, Mme Theobald s'est penchée vers Miss Quentin et l'a félicitée d'avoir donné de si bonnes leçons à Ellen, explique Pat. Ta chère Miss Quentin s'est contentée de sourire et de hocher la tête. Elle n'a pas dit qu'elle ignorait complètement les dons d'Ellen. Nous trouvons cela très mesquin.

— Je ne le crois pas ! crie Alice.

— Ada Borman, qui était assise à côté d'elle, a tout entendu, insiste Pat. Elle nous l'a dit. Tu vois bien que Miss Quentin n'est pas la huitième merveille du monde.

Alice se hâte de changer le sujet de la conversation.

— À quelle heure aura lieu la fête demain ? demande-t-elle.

— À minuit juste, répond Carlotta. J'ai un joli petit réveil. Je le règlerai sur la bonne heure et l'une de vous, dans l'autre dortoir, le placera sous son oreiller. Ainsi, elle sera réveillée sans déranger tout le monde. Je ne peux pas le mettre sous mon oreiller, Elsie couche à côté de moi. Elle se réveillerait aussi. Il ne faut pas qu'elle sache.

— C'est bien. Minuit juste demain, répète Doris de sa voix claire.

À ce moment, la porte s'ouvre. Henriette, qui vient de la bibliothèque, entre.

— J'espère que vous ne parliez pas de choses importantes, dit-elle. Notre chère Elsie était derrière la porte et elle écoutait de ses deux oreilles.

Toutes sont consternées.

— Quel ennui ! s'écrie Carlotta. Nous parlions de mon anniversaire et nous avons répété plusieurs fois que le réveillon aurait lieu demain à minuit.

— Elsie fera certainement ce qu'elle pourra pour tout gâcher, fait remarquer Pat. Elle nous dénoncera à un professeur, j'en suis sûre.

— Je ne veux pas que notre fête soit interrompue, déclare Carlotta d'une voix décidée. Pat, approche-toi de la porte pour guetter Elsie. Avertis-nous si elle vient.

Pat jette un coup d'œil dans le corridor, mais elle n'y voit personne. Elsie, pourvue du renseignement qu'elle désirait, s'est éloignée.

— Écoutez-moi bien, annonce Carlotta. Il n'y aura pas de réunion demain soir. Ce sera pour cette nuit.

— Bravo ! Bravo ! s'écrient ses camarades.

— Il ne faut pas qu'Elsie nous entende sortir du dortoir, dit Bobbie.

— Elle a le sommeil lourd, réplique Carlotta. D'ailleurs nous ferons attention. Pas un mot à qui que ce soit ! Notre réveillon aura lieu cette nuit. Ce sera jouer un bon tour à Elsie !

Elsie ignore que le jour de la fête a été changé. Elle cherche un moyen d'interrompre les réjouissances sans être traitée de dénonciatrice.

Avertira-t-elle Miss Jenks ? Le professeur interdira certainement le réveillon, mais Miss Jenks n'aime pas les rapporteuses.

« Je ne veux pas me faire gronder », pense Elsie.

Elle y réfléchit avec tant d'ardeur que Mam'zelle s'agace pendant le cours de français.

— Elsie, c'est la troisième fois que je vous demande de venir au tableau ! s'écrie le professeur, exaspéré. Il faut que j'aie une patience d'âne pour vous supporter.

— Vous voulez dire une patience d'ange, rectifie Bobbie.

— L'âne est une bête patiente, souligne Mam'zelle. J'ai besoin de la patience des ânes, des moutons, de toutes les bêtes de la création quand j'ai devant moi une élève comme Elsie. Ou vous sortez de la classe, Elsie, ou vous faites attention à ce que je dis. Je ne tolère pas que vous soyez distraite pendant mes cours.

Elsie est donc obligée de se pencher sur son livre et de prêter toute son attention à l'auteur français que l'on traduit. Mais le soir, pendant l'étude, elle a une idée lumineuse.

« J'attendrai qu'elles soient toutes sorties du dortoir, puis j'irai frapper chez Miss Jenks. Je lui dirai que je suis inquiète parce que toutes mes camarades ont disparu. Elle viendra voir, elle se mettra à leur recherche et les trouvera en train de se régaler dans la salle de loisirs. Je pourrai faire semblant d'avoir peur qu'elles aient été enlevées. Après tout, l'Américaine Sadie a bel et bien été enlevée avant les grandes vacances. Cela pourrait bien se reproduire ! »

Elle est enchantée de son idée. Grâce à ce stratagème, Miss Jenks ne l'accusera pas de dénonciation, les élèves ne sauront pas qu'elle les a trahies, puisque ce sera le professeur qui ouvrira brusquement la porte.

Elsie ignore qu'elle en sera pour ses frais. Les élèves de deuxième division gardent bien leur secret. Carlotta et Pat vont même plus loin : quand Elsie est à portée de voix, elles décrivent ce qu'elles feront la nuit suivante. Elsie jubile tout bas. « Attendez un peu, bande de pestes, vous ne mangerez pas toutes les bonnes choses que vous avez préparées ! »

Le soir, Carlotta programme la sonnerie de son petit réveil. Elle le donne à Catherine qui couche dans le dortoir voisin.

— Mets-le sous ton oreiller, recommande-t-elle. Quand tu l'entendras, tu réveilleras tes camarades. Puis tu viendras me chercher. Nous irons toutes sur la pointe des pieds dans la salle de loisirs. Nous ne ferons pas plus de bruit que des souris.

Catherine place le réveil sous son oreiller. Elle est certaine de ne pas en avoir besoin, car elle est trop surexcitée pour fermer les yeux. Mais le sommeil s'empare de l'une après l'autre et bientôt le silence règne dans les deux dortoirs.

Elsie dort aussi. Elle a le sommeil lourd et quelquefois, elle ronfle un peu. Ce soir-là, elle a remonté ses couvertures sur ses oreilles, parce qu'il fait froid. Elle a l'intention de bien dormir pour pouvoir veiller, la nuit suivante.

À minuit, le réveil sonne brusquement sous l'oreiller de Catherine. Celle-ci a un sursaut et ouvre les yeux. Elle glisse sa main sous l'oreiller et arrête la sonnerie. Les autres n'ont rien entendu. Catherine s'assied sur son lit, le cœur en fête. Le moment tant attendu est arrivé !

Elle se lève, enfile ses chaussons et sa robe de chambre. Puis elle va doucement d'un lit à l'autre, secouant les dormeuses et murmure le mot magique à leur oreille : « Minuit ! Minuit ! »

Toutes sont bientôt debout. Les robes de chambre et les pantoufles sont cherchées à tâtons. Des chuchotements courent d'un lit à l'autre.

— Je ne retrouve pas mes pantoufles !

— Oh ! Cette robe de chambre ! Je n'arrive pas à défaire le nœud de la ceinture.

— Chut ! avertit Catherine. Il ne faut pas réveiller Elsie, vous le savez.

Elle entre dans le dortoir voisin et se dirige vers le lit de Carlotta. Carlotta est pelotonnée comme un chat sous ses couvertures.

Catherine la secoue. La jeune Espagnole se soulève d'un bond et Catherine lui met la main sur l'épaule.

— Minuit ! chuchote-t-elle.

Le cœur de Carlotta bat. C'est sa fête d'anniversaire ! Elle fait le tour du dortoir pour réveiller ses occupantes – sauf Elsie, bien sûr.

Il n'y a ni chuchotements ni rires étouffés. Chacune prend ses affaires et gagne la porte sur la pointe des pieds. Au soulagement général, un petit ronflement s'élève du lit d'Elsie. Carlotta ferme la porte sans bruit et tourne la clef dans la serrure. Elle met la clef dans la poche de sa robe de chambre. Si Elsie s'éveille, elle ne pourra pas sortir pour donner l'alarme !

Toutes se rendent dans la salle de loisirs. Des coussins sont empilés au bas de la porte pour empêcher une clarté révélatrice de filtrer dans le corridor. Quand c'est fait, les lampes sont allumées. Que de chuchotements et de rires !

— Quand nous sommes sorties, Elsie ronflait. Un gentil petit ronflement ! Vite, sortons les assiettes et le reste !

Les placards, les pupitres, les bibliothèques livrent leurs trésors. Les assiettes et les plats sont disposés sur les tables. Le plus grand plat est mis au milieu pour recevoir le gâteau d'anniversaire.

— La fête commence ! s'exclame Carlotta.

Les gâteaux, les brioches, les biscuits, les confitures, les bonbons font leur apparition. Doris et Bobbie ouvrent les boîtes et en déversent le contenu dans les plats : sardines, salade de fruits, ananas, crevettes, de quoi se régaler ! Carlotta débouche une douzaine de bouteilles de limonade.

— Buvons à la Belle au bois dormant, à notre chère Elsie ! dit Pat en levant son verre. Et vive Carlotta !

chapitre 17

La deuxième division joue un bon tour à Elsie

Bientôt la fête bat son plein. Au bout d'un moment, les élèves oublient de chuchoter et parlent et rient tout haut. Cela a peu d'importance. Elles sont trop loin des chambres des professeurs pour être entendues. Doris se taille un succès en jonglant avec des bouteilles vides.

Les filles mangent avec appétit. Carlotta mélange sardines et ananas. Alice essaie les crevettes trempées dans le sirop de la salade de fruits, mais ne partage pas l'enthousiasme de Pat et d'Isabelle qui déclarent que c'est « succulent ». Les autres font également des combinaisons extraordinaires.

— Personne n'imaginerait que les sardines vont si bien avec le pain d'épice, déclare Margaret. Mon frère me l'avait dit ; je n'avais pas voulu le croire, mais c'est vrai.

Le gâteau d'anniversaire est un délice, il fond dans la bouche. Les quinze bougies allumées, on éteint la lumière. Les petites flammes répandent une clarté vacillante et féerique.

— Joyeux anniversaire, Carlotta ! lance Pat en levant son verre. Que tous tes souhaits se réalisent !

— Merci, dit Carlotta.

Son visage brun rayonne. Ses yeux noirs étincellent. Elle est si contente de faire plaisir à ses amies ! Elle écrira à sa grand-mère pour la remercier une deuxième fois.

— Joyeux anniversaire ! répètent toutes les voix, l'une après l'autre. Joyeux anniversaire, Carlotta !

Cette dernière distribue une deuxième tranche de gâteau à chacune. Il reste encore un gros morceau, assez pour deux portions.

— À qui les donnerons-nous ?

— Une part à Miss Jenks ! s'écrie Pat. Nous n'avons pas besoin de dire que nous avons mangé le gâteau à minuit.

— Et l'autre à Miss Quentin, propose Alice.

— Ne dis pas de bêtises ! proteste Carlotta. Ce serait du gaspillage. J'aime mieux la garder pour Elsie.

— Oh ! oui, approuve Anna. Il faut toujours rendre le bien pour le mal. Quelle surprise pour Elsie quand elle comprendra que nous avons fêté l'anniversaire de Carlotta.

— Nous lui donnerons sa part après-demain, propose Carlotta. Elle essaiera de troubler notre fête, la nuit prochaine, et le lendemain nous lui offrirons un morceau de gâteau. Ce sera très drôle !

Toutes sont de cet avis. Elles ne tiennent guère à faire un cadeau à Elsie, mais elles veulent voir son visage quand le gâteau lui sera offert. Elle comprendra que la fête a eu lieu tranquillement, malgré elle.

— Une tranche pour Miss Jenks et l'autre pour notre chère Elsie, conclut Carlotta en les enfermant avec soin dans une boîte en fer-blanc. Que reste-t-il à manger ?

Il ne reste rien et presque toutes les bouteilles de limonade sont vides.

— Tant mieux ! s'écrie Anna. Je ne pourrais pas avaler une bouchée de plus !

— Toi, Anna ! s'étonne Pat en riant. Je crois que tu pourrais continuer à manger jusqu'à l'heure du déjeuner.

— Comment oses-tu parler sur ce ton au chef de classe ? réplique Anna qui a excellent caractère et ne se fâche jamais. Carlotta, je crois que nous ferions bien de remettre de l'ordre et d'aller nous coucher. La fête a duré très longtemps. Elle est finie maintenant.

— Quel dommage ! soupire Alice.

Les élèves se mettent à l'œuvre. Elles empilent les plats et les assiettes au fond d'un placard, dans l'intention de les laver et de les remettre en place, le lendemain matin. Elles balaient les miettes et les jettent par la fenêtre. Les bouteilles de limonade sont cachées dans un placard du couloir. Puis elles examinent la pièce. Rien ne trahit qu'un joyeux festin nocturne y a eu lieu.

— Parfait, constate Anna. Maintenant, retournons au lit. Sans bruit, pour ne pas réveiller Elsie.

Carlotta ouvre la porte de son dortoir. Le seul bruit qui frappe son oreille est la respiration régulière d'Elsie. La jeune fille n'a même pas bougé.

« Tout s'est passé comme sur des roulettes, pense Carlotta en se couchant. Quel dommage que nous ne puissions pas recommencer demain ! »

Le matin, quand la cloche sonne, les élèves de deuxième division ont encore sommeil. Elles doivent faire un gros effort pour se lever. Alice et Catherine ont mal au cœur.

— Cela vous apprendra à faire tant de mélanges, dit Pat. Vous allez voir Mme Rey ?

— Non, répondent les deux filles d'une seule voix.

Mme Rey leur ferait ingurgiter un médicament très amer.

Elsie n'a aucun soupçon. Pas un mot n'est prononcé devant elle. La salle de loisirs a été si bien balayée qu'il ne reste pas une miette pour trahir le secret.

Pendant le cours de géographie de Miss Jenks, Elsie rumine ses sombres projets.

« Vous croyez que vous vous amuserez bien cette nuit, pense-t-elle. Mais vous verrez, Miss Jenks interrompra votre fête ! Ce sera bien fait pour vous ! Vous méritez d'être punies ! »

Alice et Catherine sont vite remises. Mais elles ne peuvent manger ni le matin ni à midi. Miss Jenks les envoie voir Mme Rey qui prend leur température et constate qu'elles n'ont pas de fièvre.

— Hum ! dit-elle pensivement. Personne n'a eu d'anniversaire dans votre division ?

— C'est aujourd'hui celui de Carlotta, répond Catherine.

— C'est bien ce que je pensais, reprend Mme Rey. Toutes les deux vous avez mangé trop de gâteaux. Une cuillerée de sirop et il n'y paraîtra plus !

Ce soir-là, avant le coucher, les élèves de deuxième division échangent des clins d'yeux et des coups de coude. Elles sont certaines qu'Elsie les dénoncera. Elles ont dressé leur plan.

— Nous nous réveillerons toutes à minuit et nous sortirons des dortoirs, propose Pat. Dès que nous aurons tourné les talons, Elsie ira avertir Miss Jenks, ou peut-être même Mme Theobald, on ne sait jamais ! Quand nous l'aurons vue partir, nous retournerons nous coucher et nous ferons semblant de dormir. Quelle surprise pour Elsie !

Ce projet est approuvé à l'unanimité. Elsie, qui les voit chuchoter et rire, croit qu'elles parlent du festin nocturne. Elle décide de ne pas dormir.

Carlotta programme de nouveau son réveil, mais cette fois elle le place sous son oreiller pour être certaine de réveiller Elsie.

La sonnerie retentit à minuit et Carlotta se lève en riant tout bas. Elle va de lit en lit, en prenant soin de faire du bruit. Elsie se réveille aussi, car, malgré tous ses efforts, elle s'est endormie. Elle se garde de bouger et attend. Quand les occupantes du dortoir sont sorties, elle se lève et enfile sa robe de chambre.

« Horribles filles ! Elles vont s'amuser sans moi », songe-t-elle en oubliant qu'elle aurait assisté aux festivités si elle avait promis d'être raisonnable. Je vais réveiller Miss Jenks. Je ferai semblant d'avoir peur parce que les autres ont disparu. »

Elle sort du dortoir. Carlotta, cachée dans un coin, la voit prendre la direction de la chambre de Miss Jenks.

— Venez ! chuchote-t-elle à ses camarades qui ont grand-peine à s'empêcher de rire. Elle est partie. Je parie que Miss Jenks sera ici dans une minute. Que dira-t-elle à Elsie quand elle nous verra toutes endormies dans nos petits lits bien chauds ?

Elles se dépêchent de se débarrasser de leur robe de chambre et de leurs pantoufles et se glissent sous leurs draps. De temps en temps, l'une d'elles fait une plaisanterie et des gloussements étouffés fusent dans l'obscurité.

Pendant ce temps, Elsie frappe à la porte de Miss Jenks. Pas de réponse. Elle frappe plus fort. Le lit craque et la voix du professeur s'élève.

— Qui est là ? Qu'y a-t-il ?

Elsie ouvre. Miss Jenks allume sa lampe de chevet. Elle voit Elsie qui arbore une mine épouvantée.

— Quelqu'un est malade ? demande Miss Jenks en sautant du lit et en prenant sa robe de chambre. Vite, dites-moi !

— Miss Jenks, j'ai si peur ! balbutie la jeune fille et elle a l'air si effrayée que Miss Jenks a un frisson. Toutes les filles de mon dortoir ont disparu... toutes... Miss Jenks, croyez-vous qu'elles ont été enlevées ? Que j'ai peur !

Miss Jenks toussote.

— Ma chère Elsie, ne dites pas de sottises ! Comme si sept ou huit filles pouvaient être enlevées dans votre dortoir sans que vous entendiez rien ! Un peu de bon sens, enfin !

— Miss Jenks, elles ne sont pas dans leur lit ! insiste Elsie, les yeux toujours écarquillés. Pas une. Où peuvent-elles être ?

— C'est l'anniversaire de Carlotta, n'est-ce pas ? interroge Miss Jenks. Je suppose qu'elles font une petite fête. Quant à vous, vous tentez de les faire punir.

— Miss Jenks, je n'ai pas pensé à une fête, proteste Elsie au comble de l'étonnement. Pourvu qu'on ne les ait pas enlevées !

— Vous m'ennuyez, Elsie. Mais enfin, il faut que j'en aie le cœur net. Et vous m'accompagnerez, jeune fille. Vos camarades sauront qui les a dénoncées.

Ce n'était pas du tout dans les projets d'Elsie. Mais impossible de battre en retraite. Elle est obligée de suivre Miss Jenks.

Elles se rendent dans le dortoir où couche Elsie. Les élèves les entendent venir et ferment hermétiquement les yeux. Doris a un petit ronflement si bien imité que Carlotta se demande s'il n'est pas réel. Miss Jenks l'entend. Elle allume la lumière et regarde en silence les lits, tous occupés, excepté celui d'Elsie, par des filles endormies, en apparence du moins. Doris a de nouveau un petit ronflement, puis se retourne dans son lit. Miss Jenks n'est pas dupe. Elle est certaine que Doris ne dort pas.

Elsie contemple avec stupéfaction les dormeuses. Elle n'arrive pas à comprendre. Son absence n'a pas duré plus de trois minutes et, cependant, toutes ses compagnes sont dans leur lit. A-t-elle rêvé ? Les autres n'ont-elles pas bougé ? Que s'est-il passé ?

— Eh bien, Elsie, dit Miss Jenks sans prendre la peine de baisser la voix, car elle est certaine que personne ne dort, vous m'avez fait lever pour rien. Nous en reparlerons demain matin. Ce n'est pas agréable d'être réveillée avec une histoire d'enlèvement et de constater que vous êtes la seule à ne pas être dans votre lit. Je ne vous félicite pas !

Sans un mot, Elsie se recouche. Miss Jenks éteint la lumière et retourne dans sa chambre, en se bouchant les oreilles pour ne pas entendre les rires étouffés et les chuchotements qui s'élèvent derrière elle. Personne ne dit un mot à Elsie. Elle n'a qu'à se creuser la tête pour découvrir la fin de l'histoire. Au bout de dix minutes, toutes dorment. Toutes, sauf Elsie qui se demande quelle punition elle recevra le lendemain.

La journée commence par un incident comique. Carlotta s'approche solennellement d'Elsie et lui offre un morceau du gâteau d'anniversaire.

— Tu n'étais pas avec nous, nous te l'avons gardé, annnonce-t-elle d'un air de vertu exemplaire.

Elsie sursaute.

— Vous avez donc fait votre fête ? réagit-elle, les yeux fixés sur le gâteau. Quand ?

— La nuit où nous avons été enlevées, réplique Carlotta. Un kidnappeur a surgi au milieu de nous et a voulu nous entraîner dans sa caverne. Mais nous lui avons offert un morceau de gâteau et il a été si content qu'il nous a laissées en liberté.

— Si tu te crois spirituelle ! s'écrie Elsie avec colère. Tes sornettes stupides…

Des éclats de rire l'interrompent.

— Des sornettes ! Tu es allée dire à Miss Jenks que nous avions été enlevées. Qui débite des sornettes ?

Elsie tourne le dos à Carlotta après avoir, d'un geste, repoussé le gâteau. Triste et désemparée, elle donnerait beaucoup pour rencontrer un regard amical ou entendre une bonne parole. Il lui reste à affronter Miss Jenks. Désagréable perspective ! Le professeur lui a demandé de se présenter avant le cours, à neuf heures moins dix, dans la classe.

Elle entre. Miss Jenks est occupée à corriger des piles de cahiers. Sur le bureau, devant elle, Elsie voit un objet inattendu : une assiette avec un gros morceau de gâteau ! Carlotta l'a offert avec une lueur dans les yeux et le don a été reçu de la même façon. Elsie le regarde et se mord la lèvre. Dire que Miss Jenks a accepté ! Elle a deviné qu'une fête nocturne a eu lieu et elle accepte une tranche de gâteau ! C'est révoltant !

— Elsie, je ne suis pas du tout contente de vous, ce trimestre, commence le professeur.

En tant que chef de classe, vous aviez une occasion de remonter dans notre estime. Nous espérions, Mme Theobald et moi, que vous sauriez en profiter. Mais non. Vos compagnes n'ont plus voulu de vous. Au lieu de vous améliorer et de changer d'attitude, vous faites des choses stupides. Et je ne parle pas de la nuit dernière ou vous êtes venue me réveiller avec une histoire à dormir debout, pour essayer de faire punir les autres. Elles ont été trop rusées pour vous, je m'en réjouis. Quelles sont vos intentions ? Continuerez-vous ainsi jusqu'à la fin du trimestre ? En ce cas, votre bulletin ne sera pas d'une lecture agréable. Ou montrerez-vous que vous avez un peu de courage et de bon sens ? Vous efforcerez-vous de vous racheter à nos yeux ?

Miss Jenks n'a pas l'habitude de mâcher ses mots. Elsie l'écoute en silence. Elle ne peut que s'excuser et promettre de remonter la pente. C'est dur, mais avoir un mauvais bulletin et supporter les moqueries pendant le reste du trimestre n'est pas plus agréable.

— J'essaierai de faire oublier ma stupidité, murmure-t-elle d'un ton maussade.

— Vous avez été plus que stupide. Faites un effort. Vous savez qu'à Saint-Clair nous ne gardons pas les filles dont on ne peut rien tirer.

Les élèves de deuxième sont gentilles. Si vous montrez un peu de courage et de bon sens, elles vous aideront.

— D'accord, dit Elsie. Mais, Miss Jenks, ne m'obligez pas à leur faire des excuses. C'est impossible. Je n'en ferai pas.

— Ma chère Elsie, je vous ai dans ma division depuis plus d'un an, je sais que vous n'avez pas assez de cran pour vous excuser. C'est l'heure du cours. Allez chercher mes livres dans le salon des professeurs et tâchez de sourire. Je ne supporte pas de vous voir cet air lugubre !

Elsie sort. Les élèves arrivent. Elles s'asseyent en silence, surprises de voir Miss Jenks déjà assise à son bureau.

— J'ai quelques mots à vous dire avant le cours, commence le professeur. Il s'agit d'Elsie qui a promis d'avoir un peu de courage et d'être plus aimable. Elle a fait cette promesse à contrecœur, je dois le reconnaître. Mais elle refuse de vous présenter des excuses pour sa conduite stupide. D'ailleurs je ne crois pas qu'elle la regrette. Essayez pourtant de l'aider dans ses efforts au lieu de l'entraver, voulez-vous ? Vous lui avez joué un tour la nuit dernière, n'est-ce pas ?

Cette conclusion inattendue amène des sourires sur toutes les lèvres. Miss Jenks a donc deviné la vérité et pourtant elle a accepté le morceau de gâteau. Les élèves se seraient jetées au feu pour elle !

— Entendu, Miss Jenks, nous supporterons Elsie aussi gracieusement que possible, déclare Pat. Nous nous sommes vengées la nuit dernière, nous pouvons nous payer le luxe de la générosité.

Elsie revient dans la classe. Elle essaie de paraître plus gaie. Elle place les livres devant le professeur.

— Merci, Elsie, dit Miss Jenks d'une voix aimable et elle lui adresse un sourire.

Les élèves s'en aperçoivent et approuvent. Elles suivront l'exemple de Miss Jenks. Elsie a plus de chance qu'elle n'en mérite.

chapitre 18

Alice et Miss Quentin

Ellen s'épanouit de jour en jour. Pendant le cours de diction, Miss Quentin s'occupe maintenant presque exclusivement d'elle. Et Miss Wilton l'a félicitée jusqu'à plus soif d'avoir marqué un but dans un match de hockey. Toutes ces joies, Ellen en fait part à sa mère. Elle ne reçoit pas de réponse, mais Mme Davidson lui a écrit une lettre qu'elle a lue et relue plus de cent fois. La voici :

Chère Ellen,
Vous serez sans doute heureuse d'apprendre que je suis allée aujourd'hui à l'hôpital où est soignée votre mère. L'infirmière m'a permis de la voir pendant quelques minutes. Je lui ai parlé de vous et de

votre amitié pour ma fille, Miranda. Elle m'a dit qu'elle était bien contente que vous ayez eu un grand succès à la séance récréative de votre division. Vous pourrez peut-être l'embrasser pendant les vacances. Il est trop tôt encore pour savoir si son état s'est amélioré, mais je pense qu'elle se remettra complètement. Je retournerai à l'hôpital dès que je le pourrai.

Embrassez de ma part Miranda. J'espère qu'elle est gentille avec vous. Vous vous complétez si bien toutes les deux ! Je vous envoie un amical souvenir.

ÉLISE DAVIDSON.

Ellen éprouve pour Mme Davidson une grande reconnaissance. L'avenir est vraiment moins sombre. Sa mère doit subir une grave opération, mais les médecins laissent entrevoir des perspectives de guérison. Ellen a plus de courage pour supporter ses inquiétudes.

Le trimestre touche à sa fin. Les élèves font mille projets pour les vacances de Noël. Ellen les écoute et cache sa tristesse sous un sourire.

— Ta mère ira-t-elle assez bien pour quitter l'hôpital et te recevoir chez vous ? lui demande un jour Miranda.

— Non. Je passe les vacances au collège, répond Ellen. Mme Rey s'occupera de moi et de deux élèves de troisième et de quatrième divisions dont les parents sont à l'étranger. Je me sentirai bien seule sans toi, Miranda.

— Pauvre Ellen ! s'écrie Miranda. Je n'aimerais pas rester à Saint-Clair pendant les vacances. Je m'y plais, parce que nous sommes nombreuses. Tu crois vraiment que ta mère n'ira pas mieux ?

— Elle doit subir, ces jours-ci, une grave opération, explique Ellen. Je suis donc sûre qu'elle ne pourra pas quitter l'hôpital. Les médecins parlent de guérison complète après l'intervention chirurgicale. Cet espoir m'aidera à supporter ma solitude et ton absence.

Dans une de ses lettres, Mme Davidson a parlé à Miranda de la mère d'Ellen. Elle lui a recommandé de n'en rien dire à son amie.

— Je suis assez inquiète à propos de la mère d'Ellen, annonce-t-elle. On va lui faire une opération et elle est si faible que je me demande si elle pourra la supporter. Si les nouvelles sont mauvaises, ce sera à toi de consoler Ellen. Elle aura bien besoin d'une amie. Si l'intervention réussit, je l'avertirai immédiatement.

Miranda ne parle pas de cette lettre à Ellen, mais redouble d'attentions affectueuses. Elle n'est plus ni égoïste ni autoritaire et ne ressemble en rien à la fille arrogante et maussade qui est arrivée à Saint-Clair, trois mois auparavant.

— J'écrirai à ta maman pour lui raconter que tu as marqué un but au match de hockey, dit-elle.

— Comme tu es gentille, Miranda ! s'exclame Ellen. Maman sera contente. Mes succès lui font tant de plaisir ! Que j'étais sotte au début du trimestre quand je ne m'intéressais à rien et que je passais mon temps à me lamenter. Je suppose que tu me détestais.

— Je ne t'aimais pas beaucoup, avoue Miranda. Mais je pense que tu me le rendais bien.

Ellen brille aux cours de diction. Miss Quentin ne lui ménage pas les éloges, au grand dam d'Alice qui fait grise mine à Ellen et, certains jours, ne lui adresse pas la parole.

La pièce écrite en commun sera jouée à la fin du trimestre. Pour le rôle principal, Miss Quentin a essayé successivement Alice, Doris, Carlotta. C'est maintenant le tour d'Ellen. Sans aucun doute, Alice est la plus jolie et la plus gracieuse, elle sait son texte sur le bout du doigt et le répète continuellement. Mais Ellen se montre supérieure pour la diction, les attitudes, les expressions du visage.

Miss Quentin a laissé entendre à Alice qu'elle aura le rôle principal. Elle ne l'a pas confirmé, mais la classe est sûre qu'Alice sera la jeune première de la comédie. Cela paraît tout naturel, car elle a travaillé avec acharnement pour le cours de diction, alors que tous les autres professeurs se plaignent de sa paresse.

Alice éprouve une grande admiration pour Miss Quentin. Elle vient d'apprendre une nouvelle qui l'a consternée. Le professeur de diction ne reviendra pas à Saint-Clair, après les vacances de Noël.

— Tu en es certaine ? demande Alice à Pat qui le lui annonce.

— J'ai entendu Mam'zelle qui disait à Miss Quentin : « Vous serez sur la scène le trimestre prochain pendant que nous nous débattrons encore avec ces élèves abominables ! » Miss Quentin venait d'apprendre qu'on lui donnait un rôle dans un théâtre de Londres. Elle tenait une lettre à la main. Je crois qu'elle n'était venue que pour trois mois. C'est la première fois que nous avons un vrai cours de diction. Mme Theobald voulait peut-être voir quels seraient les résultats. Console-toi, Alice, ce n'est pas la fin du monde. Tu trouveras une autre personne à admirer.

Mais Alice est accablée de chagrin. Elle qui espérait briller dans les cours de Miss Quentin, tenir le rôle principal dans les pièces, être complimentée et applaudie ! Elle se retire dans un coin et verse des larmes amères. Superficielle et vaniteuse, elle s'attache à quiconque lui adresse des éloges.

— Qu'a donc Alice ? demande Isabelle, surprise de voir les yeux rouges de sa cousine. Tu t'es fâchée avec quelqu'un, Alice ?

— Elle est triste parce que sa chère Miss Quentin ne sera pas ici, le trimestre prochain, pour lui faire jouer les princesses, explique Pat.

— Voyons, Alice, il n'y a pas de quoi pleurer ! s'écrie Henriette. Le départ de Miss Quentin ne sera pas un grand malheur. Ce n'est pas un bon professeur. Elle est trop indulgente et elle n'est pas sincère. Elle a laissé entendre à Mme Theobald qu'elle avait découvert et développé le talent d'Ellen.

— Je ne le crois pas, proteste Alice, en versant de nouvelles larmes. Vous ne connaissez pas Miss Quentin comme moi. C'est la personne la plus loyale que j'aie jamais rencontrée.

— Pas du tout ! riposte Pat. Alice, pourquoi choisis-tu si mal tes amies et les objets de tes enthousiasmes ? Sadie était amusante, mais elle n'avait rien dans la tête. Miss Quentin lui ressemble pour cela. Admire plutôt Miss Jenks…

— Miss Jenks ! répète Alice. Qu'a donc Miss Jenks d'extraordinaire avec ses yeux froids et ses remarques acerbes ?

— C'est un excellent professeur, dit Pat. Et elle peut être très chic. Elle a accepté la part du gâteau d'anniversaire de Carlotta sans dire un mot du réveillon. Je te conseille de mieux choisir tes amies. Sadie ne t'a jamais écrit un mot, et je parie que Miss Quentin t'oubliera dès qu'elle aura quitté Saint-Clair.

— Elle m'écrira, j'en suis sûre !

Pat ne juge pas à-propos d'insister. Alice n'aura jamais de bon sens.

— Ce sont toujours des personnes sans valeur qu'elle met sur un piédestal, fait remarquer Henriette. Ta cousine est une écervelée, Pat. Miss Quentin n'est pas du tout comme elle se la représente. Quel dommage de ne pouvoir lui ouvrir les yeux !

— Il n'y a rien à faire, affirme Pat. Elle va pleurnicher jusqu'à la fin du trimestre et peut-être même pendant les vacances.

Alice est vraiment très malheureuse. Ce départ la bouleverse. Elle décide d'attendre devant le salon des professeurs. Quand Miss

Quentin en sortira, elle lui fera part de son chagrin.

Elle se poste donc dans le couloir et fait semblant de chercher quelque chose. Elle entend la voix de Miss Quentin qui parle à Mam'zelle, mais la porte est fermée et les paroles n'arrivent pas jusqu'à ses oreilles.

Puis quelqu'un sort. C'est Miss Lewis, le professeur d'histoire.

— Laissez ouvert, crie Mam'zelle. On étouffe ici !

Miss Lewis laisse donc la porte ouverte et s'en va en direction de la bibliothèque. Alice reste dans le couloir, le cœur battant. Miss Quentin ne tardera pas à sortir.

Les professeurs continuent à discuter. Quelques-unes ont des voix claires et distinctes, d'autres parlent trop bas pour qu'Alice puisse saisir ce qu'elles disent. Elle n'a d'ailleurs pas l'intention d'écouter, elle n'est ni curieuse ni indiscrète. Soudain, elle entend son nom prononcé par Miss Quentin elle-même. Alice se redresse et, malgré elle, tend l'oreille. Miss Quentin va sans doute faire son éloge. Elle est si gentille !

— Alice O'Sullivan aura une surprise désagréable, déclare Miss Quentin de sa voix claire qu'Alice admire tant. La sotte croit qu'elle joue assez bien pour tenir le premier rôle dans la pièce de la deuxième division. Elle l'a répété avec ardeur. Elle ne travaille que pour moi. Une déception ne lui fera pas de mal. Elle est si vaniteuse !

— Qui jouera le rôle ? demande Miss Jenks.

— Ellen Hillman, répond Miss Quentin. Depuis le début du trimestre, j'ai l'œil sur elle. Personne ne lui arrive à la cheville. Elle sera une princesse parfaite.

— Je voudrais qu'Alice se donne un peu plus de mal pour moi, fait remarquer Mam'zelle de sa voix sonore. Ses versions françaises sont abominables ! Mais je crois, Miss Quentin, qu'elle travaille vraiment pour vous.

— Elle m'admire, dit Miss Quentin. Elle ferait n'importe quoi pour un compliment, comme un petit chien pour un morceau de sucre. Mais moi, j'aime mieux les élèves comme Carlotta. Celles qui ont de la personnalité. Alice me fatigue avec ses « Oui, Miss Quentin », « Non, Miss Quentin », « Vous permettez, Miss Quentin ? » Ce sera excellent pour elle de céder sa place à Ellen.

— Je n'en suis pas sûre, objecte Miss Jenks avec calme. Les surprises désagréables ne sont pas toujours bonnes pour les caractères faibles, Miss Quentin. J'espère que vous userez de ménagement envers la pauvre Alice. Sinon elle pleurera toutes les larmes de son corps et, demain, nous commençons les compositions. Elle n'est déjà pas très brillante. Je ne tiens pas à ce qu'elle rende des devoirs déplorables à cause de vous.

—Ne vous inquiétez pas. Je lui ferai quelques compliments et elle dira encore : « Oui, Miss Quentin ! »

Miss Lewis revient et ferme la porte derrière elle. Alice n'entend plus rien. Elle s'assied sur un banc, bouleversée et désorientée. Sa chère Miss Quentin la juge sans personnalité et se moque d'elle ! Dès la première phrase, elle a voulu s'enfuir, mais ses jambes se sont dérobées sous elle. Ces mots cruels l'ont mise au supplice. Elle n'aura pas le premier rôle dans la pièce ! Miss Quentin la trouve stupide, la compare à un petit chien ! Miss Quentin a dit un mensonge, ce n'est pas vrai qu'elle a remarqué Ellen avant le soir de la représentation.

Alice ne peut même pas pleurer. Elle reste assise, les yeux perdus dans le vague. Qu'a dit Miss Jenks ? « Les surprises désagréables ne sont pas toujours bonnes pour les caractères faibles ! » A-t-elle un caractère faible ? Elle pose la main sur son front.

« Il faut que je réfléchisse, pense-t-elle. Je ne dirai rien aux autres. J'ai trop honte ! Mais il faut que je réfléchisse. Miss Quentin, comment pouvez-vous être si méchante ? »

Pauvre Alice ! C'est le plus grand chagrin de sa vie. Son admiration pour Miss Quentin meurt aussitôt. Il n'en reste rien. Elle voit le professeur de diction avec les yeux de Pat, d'Henriette, d'Anna ! C'est une jeune femme aimable, jolie, mais superficielle et menteuse !

Alice est aussi changeante qu'une girouette, vite chagrinée et vite consolée. Comme ses cousines le disent souvent, « elle n'a pas beaucoup de cervelle ». Mais, dans cette heure tragique – car c'est pour elle une véritable tragédie –, elle trouve en elle, pour la soutenir, quelque chose qu'elle ne croyait pas posséder : de la dignité.

Elle ne s'effondrera pas à cause de Miss Quentin. Elle ne rampera pas aux pieds de l'ingrate comme un petit chien. Son amour-propre le lui interdit. Le professeur de diction comprendra qu'elle s'est trompée sur son compte. Malgré sa légèreté et son étourderie, Alice a un atome de bon sens. Elle relève la tête et prend des résolutions.

Lorsque Miss Quentin annonce, pendant le cours de diction, que ce sera Ellen qui jouera le rôle principal de la pièce, Alice ne manifeste aucune déception. Son visage est pâle, car elle a très mal dormi la nuit précédente, mais il est empreint d'un calme et d'une dignité qui étonnent ses camarades.

— Ellen fera une princesse étonnante, conclut Miss Quentin en posant la main sur la tête d'Alice. C'est une déception pour vous, Alice, j'en ai peur.

— Mais non, Miss Quentin, réplique Alice qui a un mouvement de recul. C'est tout naturel qu'Ellen ait le rôle principal. Elle joue bien mieux que moi. Je suis très contente.

Les élèves regardent Alice avec stupéfaction. Elles s'attendaient à des larmes, à une scène, à tout sauf à cette attitude grave et digne.

— Qui aurait cru qu'Alice se résignerait ainsi ? chuchote Isabelle. Elle monte dans mon estime. Tout de même, c'est très mal de la part de Miss Quentin. Elle nous avait laissé croire à toutes qu'Alice serait la princesse.

Alice évite avec soin les yeux de son ancienne idole. Elle accepte le rôle de soubrette qui lui est attribué, le joue gracieusement, mais reçoit avec indifférence les éloges de Miss Quentin. Celle-ci en est étonnée et un peu blessée.

— Mes enfants, j'ai une nouvelle à vous annoncer, dit-elle à la fin du cours. Je ne reviendrai pas au trimestre prochain. Vous me manquerez toutes beaucoup. Surtout une ou deux d'entre vous qui ont fait de grands efforts.

Elle regarde Alice. Elle avait prévu des sanglots, des cris de désespoir : « Miss Quentin, quel malheur que vous partiez ! »

Mais Alice reste muette, les yeux tournés vers la fenêtre comme si elle n'avait pas entendu. Pat toussote.

— Nous vous regretterons beaucoup, Miss Quentin, déclare-t-elle poliment. Nous vous souhaitons beaucoup de succès et beaucoup de bonheur.

Déçue et blessée, Miss Quentin s'adresse directement à Alice.

— Alice, je sais que vous avez beaucoup travaillé pour moi, dit-elle.

— J'ai travaillé parce que c'est une matière qui me plaît, réplique Alice d'une voix froide, en regardant Miss Quentin bien en face, pour la première fois.

La rebuffade est évidente. Les élèves répriment une exclamation de surprise. C'est tellement inattendu. Alice a donc enfin jugé Miss Quentin et, au lieu de se lamenter, a recours à la dignité et à la froideur. Un bon point pour elle !

Miss Quentin sort, sans rien perdre de son aplomb et de sa grâce. Un cercle se forme autour d'Alice.

— Alice, que s'est-il passé ? Ta chère Miss Quentin t'a offensée ?

— Taisez-vous ! répond Alice en se frayant un chemin. Je ne veux rien vous dire. Laissez-moi tranquille !

Elles respectent son désir de silence et de solitude et la laissent partir.

— Il y a eu quelque chose, fait remarquer Pat, en la regardant quitter la salle. Mais c'est pour le mieux. Alice a l'air d'avoir brusquement grandi.

— Il était temps ! ajoute Isabelle. Espérons qu'elle cessera de s'enticher de la première venue et qu'elle saura choisir ses amies !

Personne ne saura jamais la raison du brusque revirement de la cousine d'Isabelle et de Patricia. Alice garde son secret. Mais sa déconvenue l'a fait mûrir et lui a mis un peu « de plomb dans la cervelle », ainsi que le souhaitait Pat.

chapitre 19

La fin du trimestre

Vient le moment, redouté entre tous, des compositions trimestrielles. Mam'zelle se montre deux fois plus sévère que d'habitude, sa nervosité croît de jour en jour. Les élèves s'attendent toutes à de mauvaises notes. Mam'zelle leur répète sans cesse qu'elles ne savent rien et méritent des zéros, mais en réalité les enfants se sont appliquées et font honneur à leur terrible professeur.

Pour Ellen, dont la mère doit être opérée cette même semaine, les compositions sont une pénible épreuve. Elle se ronge d'inquiétude. Miranda l'aide de son mieux à réviser les diverses matières. Elle déploie une patience et une bonté que personne, au début du trimestre, n'aurait attendues de cette fille hautaine. Les autres plaignent aussi Ellen et s'efforcent de la rassurer. Elsie, elle-même, a un élan de sympathie.

— J'espère que tu auras bientôt de bonnes nouvelles, dit-elle.

Ellen la remercie avec une surprise reconnaissante. C'est bien la première fois qu'un mot aimable sort de la bouche d'Elsie. Pat, Isabelle et leurs camarades échangent des regards. Elles ont tenu leur promesse à Miss Jenks et n'ont rien fait qui puisse gêner Elsie dans ses efforts, si elle cherche à se conduire plus raisonnablement.

Mais la sympathie est hors de question. Cette fille rancunière et désagréable est trop exaspérante pour être aimée. Elle est tolérée, rien de plus. Miss Jenks, qui observe avec soin sa classe, arrive à la conclusion qu'elle ne peut demander aux élèves de deuxième division d'adopter Elsie. Au contraire, la paresseuse Anna rencontre un grand succès comme chef de classe. Aidée par les conseils de Pat, elle s'est guérie de sa nonchalance, accepte les responsabilités et prend des décisions rapidement. Miss Jenks est contente d'elle. Anna pourra passer en troisième division. Henriette ou Pat la remplacera le trimestre prochain. Miss Jenks en parle à Mme Theobald et la directrice est de son avis.

— Qu'allons-nous faire d'Elsie ? questionne-t-elle. Il faut que je lui parle.

Elsie est donc convoquée et, la figure fermée et maussade, s'assied en face de Mme Theobald. Elle s'attend à être grondée, peut-être même lui dira-t-on qu'elle n'a plus sa place à Saint-Clair…

— Elsie, commence Mme Theobald, je sais que votre vie a été difficile ce trimestre, en grande partie par votre faute. J'espère que vous le reconnaissez.

Elsie regarde le visage grave de Mme Theobald.

— Oui, dit-elle enfin. Je suppose que c'est en grande partie ma faute. Les élèves de deuxième division ne m'aiment pas. Elles n'ont pas voulu m'avoir comme chef de classe. Elles me tolèrent, c'est tout. C'est très dur pour moi. Je ne pourrai jamais gagner leur amitié et je suis très malheureuse.

— Voyez-vous, Elsie, il est très difficile d'oublier la malveillance, reprend Mme Theobald. Elle engendre l'amertume chez ceux qui en sont victimes. La cupidité, l'étourderie, la sottise soulèvent l'indignation, mais sont susceptibles de pardon. La malveillance, non. Je vois que vous ne vous ferez aucun bien ni à vous ni aux autres, en deuxième division.

Elsie attend le verdict, le cœur serré. Mme Theobald va sans doute lui demander de ne pas revenir après les vacances. Cette idée l'épouvante. Quelle humiliation ! Des larmes lui montent aux yeux. La directrice devine ses pensées.

— Je ne vais pas vous demander de quitter Saint-Clair, se hâte-t-elle de déclarer. Je crois que nous pouvons vous aider à vous transformer. Vous serez peut-être aussi capable de faire honneur à Saint-Clair. Non, vous ne partirez pas. Vous monterez de division, vous quitterez vos compagnes qui n'ont pas eu à se louer de vous et, au prochain trimestre, vous prendrez place en troisième avec quatre ou cinq nouvelles. Vous aurez alors l'occasion de prouver que vous avez changé. Vous n'êtes pas encore tout à fait prête à passer dans une classe supérieure, ni par votre travail ni par votre conduite, mais je tenterai la chance si vous promettez d'en profiter, de travailler et, chose plus importante encore, d'essayer de triompher de vos défauts.

Elsie pousse un soupir de soulagement. Monter en troisième division et laisser en deuxième les filles qui l'ont toujours détestée ! Bien sûr, elle travaillera ! Bien sûr, elle sera bonne, amicale et serviable pour les nouvelles qui ne la connaissent pas ! Elle esquisse un sourire.

— Et Anna ? demande-t-elle. Elle monte aussi ?

— Oui. Mais vous pouvez lui faire confiance, elle ne dira rien contre vous. Elle est très bonne et elle a très bien rempli ses fonctions de chef de classe. Tâchez de l'imiter, Elsie.

— Oui, promet Elsie. Merci, madame Theobald. Je n'avais pas pensé que je pourrais monter en troisième division. C'est une très grande joie pour moi !

Elle sort, rassurée et optimiste. Elle aperçoit Ellen dans le corridor et court à elle dans un élan d'amitié.

— As-tu des nouvelles de l'opération de ta mère ? demande-t-elle.

— Pas encore, répond Ellen en se demandant ce qui rend Elsie si contente et si amicale.

Elsie continue son chemin et rencontre Bobbie et Pat.

— Je viens de voir la pauvre Ellen, dit-elle. Il faudrait essayer de la distraire un peu. Elle est si inquiète !

— Excellente idée ! s'écrie Pat. Je vais jouer un tour à Mam'zelle, tu sais, Bobbie, avec cette attrape qui fait sauter les assiettes. Mam'zelle déjeune aujourd'hui à notre table parce que Miss Jenks est absente. Nous rirons bien !

Les élèves de deuxième division sont informées qu'une farce est projetée. Elles en oublient les compositions. La première farce du trimestre ! Il est grand temps de commencer !

Ce jour-là, Mam'zelle est d'excellente humeur. Les compositions de première division sont bonnes. Elle distribue de larges sourires et Doris se hâte de l'imiter.

—Ah ! Cette vilaine Doris ! s'écrie Mam'zelle en donnant une petite tape sur l'épaule de Doris. Elle m'imite parfaitement, mais elle ne sait pas encore prononcer le français. Allons au réfectoire, la cloche a sonné. Aujourd'hui je serai à votre table parce que Miss Jenks est sortie.

Les élèves de deuxième division s'asseyent autour de la table. Mam'zelle préside. Pat est trois places plus loin. Ses camarades la regardent en riant. Elles espèrent qu'elle a pu se glisser dans le réfectoire pour préparer sa farce.

Pat a tout organisé avec soin. Devant Mam'zelle s'élève une pile d'assiettes qu'elle distribuera aux élèves. Pat a soulevé les assiettes et placé sous la nappe la poche que le long tuyau, caché par la table, relie à la poire de caoutchouc qu'elle manœuvrera. Quand les élèves seront servies, l'assiette de Mam'zelle bougera au gré de Pat.

Mam'zelle sert rapidement le ragoût de mouton. Les élèves se mettent à manger, un œil sur l'assiette de Mam'zelle. C'est la seule qui reste de la haute pile. Mam'zelle la remplit de viande, de pommes de terre et de sauce. Elle aime beaucoup la sauce.

— Quand je suis arrivée en Angleterre, confie-t-elle en prenant sa fourchette et son couteau, je n'appréciais pas du tout la façon dont on prépare le ragoût chez vous. Maintenant je me régale !

Pat presse la poire en caoutchouc qu'elle tient sous la nappe. La poche se remplit d'air et grossit. L'assiette de Mam'zelle s'incline de côté, tremble un moment et retombe quand Pat lâche la poire. Mam'zelle est saisie d'étonnement. Elle porte la main à son nez pour voir si elle ses lunettes y sont toujours. Elle les tâte. A-t-elle eu une hallucination ? Son assiette a bougé ! Elle jette un rapide regard à ses voisines. Celles-ci semblent n'avoir rien remarqué. En réalité, les jeunes filles ont vu l'assiette se soulever et font de violents efforts pour s'empêcher de rire. Mam'zelle s'accuse d'avoir trop d'imagination. Elle se remet à parler.

— Demain, vous aurez votre composition de français, déclare-t-elle en souriant.

Puis elle veut couper un morceau de viande. Au même moment, Pat presse sur la poire. L'air monte dans le tuyau de caoutchouc. L'assiette de Mam'zelle fait un bond et un peu de sauce se répand sur la nappe.

Le professeur contemple son assiette avec inquiétude. Cela recommence ! L'assiette serait donc vivante ! Elle a renversé de la sauce sur la nappe !

— Tiens ! s'écrie-t-elle très surprise. Qu'est-ce que cela veut dire ?

— Qu'y a-t-il, Mam'zelle ? demande Margaret de son air le plus innocent.

— Rien, rien, se hâte de répondre Mam'zelle.

Elle ne tient pas à expliquer que son assiette a pris vie… C'est à ne pas y croire. Elle baisse les yeux sans oser se remettre à manger. Pat lui accorde un moment de répit. Enfin Mam'zelle fait appel à tout son courage pour attaquer son repas. L'assiette se conduit raisonnablement. Puis de nouveau elle est prise de folie.

Elle se soulève, redescend, remonte et termine ses acrobaties par un bond de côté qui

216

arrose encore la nappe de sauce. Cette fois, Mam'zelle a peur. Elle jette un regard autour de la table. Chose étrange, personne, semble-t-il, ne remarque quoi que ce soit d'anormal. Mam'zelle se demande si elle perd la raison…

— Vous ne mangez pas votre ragoût ? lui demande Isabelle. Je croyais que vous aimiez cela.

Le professeur jette un regard soupçonneux sur son assiette qui ne remue plus. Doris lance une plaisanterie pour permettre à ses amies de rire, car deux ou trois ne peuvent plus réprimer leur hilarité.

Leurs bruyants éclats de rire suscitent l'étonnement dans la salle. Mme Theobald, assise à la table de la sixième division, prend un air mécontent.

— Un peu de calme, s'il vous plaît ! ordonne-t-elle.

Le silence se rétablit : Doris, qui fait un violent effort pour ne pas éclater de rire, est violette. Mam'zelle, les sourcils froncés, jette un regard autour d'elle.

— Quel bruit ! dit-elle d'un ton de reproche.

Mais son attention est attirée par son assiette qui recommence à danser. Mam'zelle est affolée. Cette fois, c'en est trop ! Toute cette affaire est ridicule ! Il n'y a qu'une chose à faire : manger sans plus y penser.

— Attends le dessert maintenant, chuchote Carlotta à Pat. Nous ne pourrions pas nous empêcher de rire. Nous serions grondées. Laisse-nous un peu de repos !

L'assiette ne remue donc plus et Mam'zelle, soulagée, finit tranquillement sa viande et ses pommes de terre. On apporte le pudding. À peine remplie, l'assiette à dessert se trémousse. Mam'zelle repousse sa chaise avec un cri. Les élèves s'étranglent, les larmes ruissellent sur leurs joues.

— Ah ! Cette assiette ! s'écrie le professeur. Elle est aussi folle que l'autre. Voyez comme elle saute !

Pat lâche la poire. Doris éclate de rire et deux ou trois autres filles l'imitent. Mme Theobald prend son air sévère. Les autres élèves du réfectoire tendent le cou pour voir ce qui se passe à la table de deuxième.

Nouvelles gambades de l'assiette, nouveau recul de Mam'zelle. Mme Theobald, intriguée, se lève et vient se rendre compte. Toutes les élèves rient aux éclats. La présence de la directrice ne peut pas les en empêcher. Jamais elles n'ont rien vu d'aussi drôle.

— Mademoiselle, qu'y a-t-il ? demande la directrice, de plus en plus mécontente.

Mam'zelle lève vers elle des yeux dilatés par la frayeur.

— Mon assiette ! gémit-elle. Mon assiette !

— Eh bien, qu'a-t-elle, votre assiette ? insiste Mme Theobald avec impatience. Elle n'a rien de spécial, il me semble.

— Madame Theobald, elle bondit, elle danse, elle saute au plafond, explique Mam'zelle, exagérant, dans l'espoir de faire impression sur Mme Theobald. C'est une assiette magique, ensorcelée. Je ne le supporte pas !

La directrice regarde l'assiette immobile. Elle jette un coup d'œil sur les élèves en proie au fou rire. Certes, la conduite extraordinaire de Mam'zelle est du plus haut comique.

— Vous feriez mieux d'aller vous allonger, mademoiselle, conseille Mme Theobald. Vous n'êtes sûrement pas bien.

— Je suis très bien, proteste la pauvre Française. C'est cette assiette qui est folle. Si vous la voyiez sauter, madame Theobald !

La directrice jette un regard de doute sur l'assiette. Saisie d'une impulsion subite, Pat presse la poire de toutes ses forces. L'assiette bondit très haut et retombe, au grand étonnement de Mme Theobald. Mam'zelle pousse un cri. Les élèves se tordent de rire.

Mme Theobald saisit l'assiette et soulève la nappe. En dessous, elle trouve la petite poche attachée à un long caoutchouc. Mam'zelle écarquille les yeux.

— Je crois, Mam'zelle, qu'une des élèves vous joue un mauvais tour, déclare Mme Theobald. C'est vous-même qui la punirez. Je suppose que Patricia pourra vous expliquer le mystère.

Les rires s'arrêtent net. Tous les yeux suivent Mme Theobald qui reprend sa place. Puis ils se tournent vers Mam'zelle qui foudroie Pat du regard.

— Qu'est-ce que c'est que cet horrible tour ? demande le professeur d'une voix sonore.

Pat donne une explication que Mam'zelle écoute attentivement. Elle prend l'attrape et l'examine, puis elle baisse la nappe et se met à manger son pudding sans dire un mot.

L'inquiétude règne. Mam'zelle a l'air vraiment fâchée. La farce est pourtant bien inoffensive. Le pudding terminé, personne ne bouge.

Soudain, un son sort des lèvres de Mam'zelle. Les regards se portent vers elle. Mam'zelle rejette la tête en arrière. Elle rit ! Elle rit de si bon cœur que les coupables, rassurées, ne peuvent que l'imiter.

— C'était une bonne farce ! s'écrie Mam'zelle en s'essuyant les yeux. Oui, une bonne farce. Ma sœur rira bien quand je la lui raconterai. Cette assiette qui bondissait ! Ah ! Magnifique !

— Je vous prêterai l'attrape, si vous voulez, propose Pat. Elle appartient à mon cousin. Vous pourrez jouer le tour à votre sœur.

La gaieté de Mam'zelle redouble.

— Quelle excellente idée ! s'écrie-t-elle. Nous nous amuserons beaucoup. Vous me montrerez ce qu'il faudra que je fasse.

Mme Theobald sort du réfectoire en souriant. L'incident est vraiment drôle. Heureusement que Mam'zelle en a perçu vu le côté comique. C'est son habitude, elle a le sens de l'humour. Pauvre Mam'zelle ! Des centaines de tours lui ont été joués depuis qu'elle enseigne à Saint-Clair. Elle n'apprendra jamais à se méfier des élèves.

— Formidable ! s'écrie Margaret quand les élèves se retrouvent dans la salle de loisirs. Formidable ! Pat, tu t'es surpassée. Comme c'était difficile de garder son sérieux ! Quand je pense à cette assiette qui sautait et au visage horrifié de Mam'zelle, je ne peux pas m'empêcher de rire.

Toutes partagent sa gaieté. Ellen, qui n'a pas l'habitude de ce genre de farces, rit autant

que les autres. Elle oublie un instant ses soucis, à la grande satisfaction de Miranda.

Le lendemain, Mam'zelle donne le sujet
de la composition de français. L'exercice est
beaucoup plus facile qu'on ne s'y attendait.
Un soupir de soulagement monte de la classe.
Doris elle-même se met au travail en espérant
une bonne note.

Au milieu du contrôle, alors que l'on aurait
entendu une mouche voler, un cycliste passe
devant la fenêtre. Miranda lève les yeux. Le
facteur ! Elle jette un coup d'œil à Ellen. Celle-
ci l'a vu aussi et a pâli. Le courrier apporte-il
des nouvelles de sa mère ?

Quelques minutes plus tard, la porte s'ouvre
et une dame de service entre.

— Mme Theobald voudrait voir mademoiselle Ellen Hillman, dit-elle.

Cette dernière se lève en tremblant. Et si la
lettre annonçait la mort de sa mère ? Elle sort
comme une somnambule. Miranda la suit des
yeux. Elle aussi craint le pire.

Mais deux minutes plus tard, Ellen est de
retour ! Elle ouvre brusquement la porte et se
précipite dans la classe. Elle rayonne de joie
et ses yeux brillent. Elle s'élance vers Miranda.

— Maman a été opérée et l'opération a
très bien réussi ! Elle guérira ! Je pourrai la

voir bientôt. Peut-être la semaine prochaine. N'est-ce pas merveilleux ? C'est ta mère qui a écrit !

Miranda partage la joie d'Ellen. Sans plus penser à son travail, elle saute au cou de son amie.

— Oui, c'est merveilleux ! approuve-t-elle. Comme je suis heureuse !

— Hourra ! crie Pat.

— Moi aussi je suis bien contente, affirme Mam'zelle, sans se fâcher de l'interruption. Quelle bonne nouvelle ! Maintenant, Ellen, vous ne serez plus triste !

Ellen jette un regard autour d'elle et revient à la réalité. Pressée de faire part de sa joie à Miranda, elle a oublié la composition. Elle reprend sa place, si heureuse qu'elle a envie de pleurer.

— Maintenant, occupez-vous de votre contrôle, ordonne Mam'zelle. Ellen, j'espère que vous ferez un excellent devoir puisque vous n'avez plus d'inquiétude pour votre chère maman.

Le travail est facile quand on a le cœur joyeux ! Dans quarante-huit heures, les vacances ! Ellen aura un Noël illuminé par l'espoir. Elsie, elle-même, lui offre des vœux sincères.

C'est enfin le dernier jour du trimestre. On descend les valises du grenier. Ellen ne peut se défendre d'un peu de tristesse en assistant aux préparatifs de départ. Elle restera à Saint-Clair, mais tant pis ! Bientôt elle verra sa mère. Par malheur, l'hôpital est loin, elle ne pourra y faire qu'une seule visite.

Les élèves font leurs bagages quand Mme Theobald entre dans le dortoir. Elle tient une lettre qu'elle vient de recevoir.

— Miranda, commence-t-elle de sa voix claire, votre mère m'a écrit. Elle invite Ellen à passer les vacances avec vous si je donne ma permission. Votre amie pourra voir sa mère deux fois par semaine, puisque vous habitez très près de l'hôpital.

Miranda pousse un cri de joie. Ellen devient rouge comme une pivoine.

— Madame Theobald, quelle joie ! Vous permettez, n'est-ce pas, qu'Ellen m'accompagne ?

— Bien sûr, répond la directrice en souriant à Ellen. Mais il faut qu'elle se dépêche. Faites vite votre valise, Ellen ! Soyez prête à partir en même temps que les autres !

Cette dernière répond par un énergique hochement de tête. Oui, elle sera prête. D'ailleurs, des mains complaisantes l'aideront. Est-ce possible ? Passer ses vacances avec Miranda, jouer avec le frère et la sœur de son amie, rendre visite à sa mère deux fois par semaine ! Quelles vacances inespérées !

« Dire que Miranda voulait quitter Saint-Clair à la mi-trimestre ! pense Ellen en vidant ses tiroirs. Et moi qui restais dans mon coin sans parler à personne ! Que nous sommes heureuses maintenant ! Je me demande si je ne rêve pas. »

Mais c'est bien vrai. Ellen part avec Miranda. Toutes chantent gaiement dans le car qui les emmène à la gare.

— Bonnes vacances, Ellen ! lance Alice.

— Amuse-toi bien ! répond celle-ci qui pense tout bas : « Alice a beaucoup changé, et en bien. Elle est beaucoup plus sympathique. J'aime aussi Pat, Isabelle, Henriette, Margaret, Bobbie et toutes les autres, mais Miranda est ma meilleure amie. »

— Au revoir, disent les jumelles. Joyeux Noël et bonne année !

— Au revoir ! Ne mange pas trop de pudding et de chocolats, Anna !

— Au revoir, Elsie. Bonnes vacances !

— Au revoir, Bobbie ! Salut, Pat ! Apporte d'autres attrapes. Je ris encore en pensant à Mam'zelle quand l'assiette sautait.

— Au revoir, Henriette. Au trimestre prochain ! Je voudrais bien savoir qui sera notre chef de classe !

— Au revoir, tout le monde. Au revoir !

*Retrouve Pat, Isa et leurs amies
dans leur prochaine aventure :*

LES JUMELLES
se jettent à l'eau

Une « nouvelle » fait son entrée à Saint-Clair : une certaine Claudine, qui n'est autre que la nièce de Mam'zelle ! Les jumelles se lient aussitôt d'amitié avec cette élève qui n'a pas froid aux yeux, n'hésite pas à se jeter dans la piscine tout habillée ou à enfermer ses camarades dans les placards... Jusqu'au jour où le trio joue le tour de trop...

Pour connaître la date de parution de ce tome, inscris-toi vite à la newsletter du site : www.bibliotheque-rose.com

Les as-tu tous lus ?

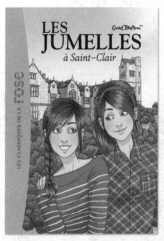

Les Jumelles à Saint-Clair

Les Jumelles
ne sont pas des anges

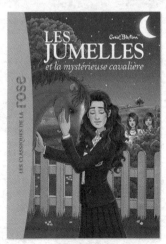

Les Jumelles
et la mystérieuse cavalière

Découvre vite les autres séries classiques de la Bibliothèque Rose !

Le Club des Cinq

1. Le Club des Cinq et le trésor de l'île

2. Le Club des Cinq et le passage secret

3. Le Club des Cinq contre-attaque

4. Le Club des Cinq en vacances

5. Le Club des Cinq en péril

6. Le Club des Cinq et le cirque de l'Étoile

7. Le Club des Cinq en randonnée

8. Le Club des Cinq pris au piège

9. Le Club des Cinq aux sports d'hiver

10. Le Club des Cinq va camper

11. Le Club des Cinq au bord de la mer

12. Le Club des Cinq et le château de Mauclerc

13. Le Club des Cinq joue et gagne

14. La locomotive du Club des Cinq

15. Enlèvement au Club des Cinq

16. Le Club des Cinq et la maison hantée

17. Le Club des Cinq et les papillons

18. Le Club des Cinq et le coffre aux merveilles

19. La boussole du Club des Cinq

20. Le Club des Cinq et le secret du vieux puits

21. *Le Club des Cinq en embuscade*

22. *Les Cinq sont les plus forts*

23. *Les Cinq au cap des Tempêtes*

24. *Les Cinq mènent l'enquête*

25. *Les Cinq à la télévision*

26. *Les Cinq et les pirates du ciel*

27. *Les Cinq contre le Masque Noir*

28. *Les Cinq et le Galion d'or*

29. *Les Cinq et la statue inca*

30. *Les Cinq se mettent en quatre*

31. *Les Cinq et la fortune des Saint-Maur*

32. *Les Cinq et le rayon Z*

33. *Les Cinq vendent la peau de l'ours*

34. *Les Cinq et le portrait volé*

35. *Les Cinq et le rubis d'Akbar*

36. *Les Cinq et le trésor de Roquépine*

37. *Les Cinq en croisière*

38. *Les Cinq jouent serré*

39. *Les Cinq contre les fantômes*

40. *Les Cinq en Amazonie*

41. *Les Cinq et le trésor du pirate*

Le Clan des Sept

Le Clan des Sept va au cirque

Le Clan des Sept à la
Grange-aux-Loups

Le Clan des Sept et les
bonshommes de neige

Le Clan des Sept
et le mystère de la caverne

Le Clan des Sept
à la rescousse

Les Six Compagnons

Les Six Compagnons
de la Croix-Rousse

Alerte au sabotage !

Les Six Compagnons
et l'étrange trafic

Les Six Compagnons
au bord du gouffre

Les Six Compagnons
enquêtent en coulisses

Les Six Compagnons
jouent une dangereuse partition

Les Six Compagnons
et le château maudit

Les Six Compagnons
et l'opération clandestine

Les Six Compagnons
et le secret de la calanque

*M*ichel

Michel mène l'enquête

*Michel poursuit
des ombres*

Alice

Alice et le cheval volé

Alice au manoir hanté

Arthur et Compagnie

Arthur et compagnie
et l'île aux Mouettes

Arthur et compagnie
au nid d'aigle

Arthur et compagnie
au golfe bleu

Arthur et compagnie
et le vaisseau perdu

Arthur et compagnie
à la cascade

Arthur et compagnie
et l'hélicoptère

Arthur et compagnie
au Mondial Circus

Arthur et compagnie
sur la Rivière Noire

Malory School

La rentrée

La tempête

Un pur-sang
en danger

La fête secrète

La pièce de théâtre

Les adieux

Table

PAPIER À BASE DE
FIBRES CERTIFIÉES

⊞hachette s'engage pour
l'environnement en réduisant
l'empreinte carbone de ses livres.
Celle de cet exemplaire est de :
750g éq. CO_2
Rendez-vous sur
www.hachette-durable.fr

Photogravure Nord Compo - Villeneuve-d'Ascq

Imprimé en Roumanie par G. Canale & C. S.A.
Dépôt légal : avril 2015
Achevé d'imprimer : mars 2015
15.3336.4/01 – ISBN 978-2-01-400297-3
Loi n° 49956 du 16 juillet 1949
sur les publications destinées à la jeunesse